CB124466

A Odete Kairalla Eid,
uma colaboradora excepcional.

SUMÁRIO

1. Aprenda a conversar, **11**
2. Seja bem-humorado, **13**
3. Demonstre que está brincando, **15**
4. Não se leve muito a sério, **17**
5. Saiba contar histórias, **19**
6. Acabe com o "né?", **21**
7. Acabe com o "ããããã", **23**
8. Deu branco, **25**
9. Não arme barraco, **27**
10. Seja gentil, **29**
11. Faça do "nós" uma expressão mágica, **31**
12. Seja você mesmo, **33**
13. Fale com envolvimento, **35**
14. Demonstre conhecimento, **37**
15. Seja coerente, **39**
16. Considere o nível intelectual dos ouvintes, **41**
17. Avalie o conhecimento dos ouvintes, **43**
18. Leve em conta a faixa etária dos ouvintes, **45**
19. Faça adaptações diante dos ouvintes, **47**
20. Com a caneta na mão, **49**
21. Coma pelas bordas, **51**
22. Você acha ou tem certeza?, **53**
23. Mantenha os ouvintes acordados, **55**
24. Perguntas: antes, durante ou depois?, **57**
25. Quando usar recursos audiovisuais, **59**
26. Dez regras básicas para produzir um bom visual, **61**
27. Use a roupa certa, **63**
28. O volume de voz ideal, **65**
29. Continue falando depressa, **67**

30. Continue falando devagar, **69**
31. Ponha ritmo na fala, **71**
32. Pronuncie bem as palavras, **73**
33. Use bem o microfone no pedestal, **75**
34. Use bem o microfone na mão, **77**
35. Use bem o microfone de lapela, **79**
36. Descubra como é o seu vocabulário, **81**
37. Dê cartão vermelho às palavras vulgares, **83**
38. Tenha cuidado com o vocabulário rebuscado, **85**
39. Reserve o vocabulário técnico para os iguais, **87**
40. O estrangeirismo na medida certa, **89**
41. Use a expressão corporal, **91**
42. Olhe para os ouvintes, **93**
43. Planeje bem suas apresentações, **95**
44. Não inicie contando piadas, **97**
45. Não inicie pedindo desculpas, **99**
46. Conquiste a atenção dos ouvintes, **101**
47. Saia da mesmice, **103**
48. Esclareça qual é o assunto, **105**
49. Para cada solução, um problema, **107**
50. Conte como tudo aconteceu, **109**
51. Não se apaixone por um argumento, **111**
52. Aproveite melhor seus argumentos, **113**
53. Ajude o ouvinte a entender a mensagem, **115**
54. Use a estratégia certa, **117**
55. Capriche no encerramento, **119**
56. As melhores formas para encerrar, **121**
57. Fale de improviso, **123**
58. Para ler em público, **125**
59. Use recursos de apoio, **127**
60. Enfrente melhor o medo de falar, **129**

Apresentação

Porque a vida, a vida, a vida,
a vida só é possível reinventada.
Cecília Meireles

Reinventar a vida.

Talvez seja esta a maior e mais importante dica que Reinaldo Polito nos propõe nesta obra tão oportuna: reinventar e refazer o percurso da comunicação para que realmente possamos nos descobrir competentes no relacionamento e na interação com as outras pessoas.

Resultado de ampla pesquisa e de larga experiência de trabalho, *Superdicas para falar bem* traz técnicas e sugestões já aplicadas de forma meticulosa e comprovadas em sala de aula. É trabalho habilmente elaborado e muito importante para quem quer se comunicar com confiança e de forma mais efetiva: em suas apresentações em público, nas reuniões de negócios, em situações mais formais e nas conversas do dia a dia.

As dicas e as sugestões se sucedem de forma leve e surpreendentemente prática, em um encadeamento elaborado e ao mesmo tempo harmonioso, útil também para uma consulta rápida e para o esclarecimento de dúvidas particulares. Cada uma delas possui em poucas palavras um conteúdo completo, com começo, meio e fim.

Reinaldo Polito nos oferece, assim, com inteligência, talento e sensibilidade, a chance de revermos o significado e o valor da palavra em nossas vidas: ao tornarmos claras nossas intenções, nossos ideais, nossos objetivos, ao decifrarmos interesses comuns e, finalmente, ao disponibilizarmos e aperfeiçoarmos o que há de melhor em nós mesmos.

Marlene Theodoro
Mestre em Comunicação e Mercado, escritora e especialista no ensino de técnicas de apresentação em inglês

1

Aprenda a conversar

A habilidade de conversar será útil a você em qualquer circunstância: no contato com uma ou duas pessoas, numa reunião profissional, proferindo palestras, ministrando aulas, participando de convenções. Enfim, é uma qualidade que sempre o ajudará a abrir as portas para o sucesso.

Saber conversar é ter habilidade para contar histórias interessantes, mas também é a arte de saber fazer perguntas apropriadas para o momento.

Se seu objetivo for iniciar uma conversa ou criar um ambiente favorável para obter informações em pouco tempo, lance mão de perguntas fechadas, que produzam respostas rápidas e curtas. Por exemplo: Quem? Há quanto tempo? Onde?

Quando? Observe que, ao fazer essas perguntas, você consegue respostas objetivas, que possibilitam adquirir rapidamente informações importantes, sem truncar o desenvolvimento do raciocínio ou dispersar a concentração dos ouvintes.

Se, entretanto, seu objetivo for motivar as pessoas a participar mais ativamente da conversa, ou descobrir suas intenções, desejos ou necessidades, faça uso de perguntas abertas, que provocam respostas mais longas, que exigem maior elaboração do raciocínio. Por exemplo: O quê? Por quê? Como? De que maneira?

Você percebeu que, ao contrário do que ocorre com as perguntas fechadas, esse tipo de questionamento exige respostas com maior participação das pessoas, que se obrigam a elaborar o raciocínio e fornecer informações que quase sempre mostram um pouco da personalidade e da maneira de pensar delas.

2

Seja bem-humorado

Ser bem-humorado não significa bancar o palhaço e virar o bobo da corte.

Também não é sinônimo de vulgaridade. Se você evitar os trocadilhos grosseiros e aprender a aproveitar bem as informações da própria circunstância para torná-las engraçadas, sempre terá alguém querendo ficar a seu lado para conversar. A ironia fina, com informações subentendidas, além de demonstrar sua inteligência, brilho e preparo intelectual, será também uma homenagem à sensibilidade e à percepção de quem conversa com você. Na verdade, a sutileza da tirada espirituosa deverá ser utilizada de acordo com a formação e o nível intelectual da pessoa com quem esteja conversando. Atenção: mesmo que a circunstância propicie o uso da baixaria, não caia nessa; pode apostar que você não vai lucrar nada com a atitude vulgar. Existe uma linha tênue, imperceptível, que separa o humor da vulgaridade e que se aproxima ou se distancia de um ou de outro, de acordo com as características dos ouvintes e do contexto em que se encontram.

Quanto mais você se aproximar dessa linha, mais bem-humorado se tornará; porém, maior passa a ser o risco de cair na vulgaridade. Assim, como nunca terá certeza de onde está essa linha, é conveniente que mantenha uma distância de segurança e evite ultrapassá-la. É muito melhor ser menos engraçado do que poderia – tendo a certeza de que sua imagem será preservada e de que continuará a merecer o respeito das pessoas – do que chegar ao limite que talvez lhe proporcione maior sucesso, mas que também pode, por um erro de cálculo, torná-lo vulgar.

3

Demonstre que está brincando

Tome muito cuidado com as sutilezas do humor. Ao fazer brincadeiras, mostre de maneira clara que está mesmo brincando. Se, depois de usar uma ironia, por exemplo, tiver de explicar que o que acabou de fazer foi só uma brincadeira, significa que sua atitude ao brincar não foi apropriada. Fique muito atento, falando ou escrevendo, e deixe claro que está brincando, para não arrumar confusão. E confusão é o que não falta quando nosso humor não é bem interpretado.

Há inúmeros fatores que predispõem as pessoas a entender e a aceitar o humor. Depende da cultura, do nível intelectual, do ambiente, da receptividade à mensagem ou ao orador. Enfim, são tantos detalhes, que compreendê-los e dominá-los exige experiência e muita capacidade de observação.

Além disso, a forma de fazer humor precisa ser tão evidente para os ouvintes a ponto de eles não terem dúvida de que o que estão ouvindo não pode ser tomado no sentido literal, mas ser entendido como uma brincadeira.

As pessoas podem ficar chateadas e se sentirem traídas quando acompanham um raciocínio de maneira compenetrada e, no final, ou melhor, depois do final, são informadas de que tudo não passou de uma brincadeira. Às vezes não dá para consertar mais, pois já amarraram o bico, cruzaram os braços e querem continuar descontentes.

Quanto mais baixo for o nível intelectual dos ouvintes, mais fortes deverão ser os sinais do tom que pretende dar. Ao contrário, quanto mais bem preparada for a plateia, mais sutil poderá ser essa indicação. No caso de dúvida, não vacile: nivele por baixo para evitar riscos.

4

Não se leve muito a sério

Aprender a rir dos seus próprios tombos, a zombar dos seus deslizes e a se divertir com as suas gafes e características físicas é um bom caminho para que você seja um comunicador mais descontraído e cativante.

É muito bom conviver com pessoas que não têm a preocupação de ficar se justificando ou dando explicações para suas falhas. Errou? Sem drama: ponha na conta, passe a régua e siga em frente, pois a vida continua.

Embora a autocrítica seja um excelente recurso para conquistar as pessoas, pois demonstra que você não é guiado pela vaidade e que não vive se policiando com atitudes defensivas, tome muito cuidado, entretanto, para não se transformar em arauto das suas imperfeições. Não saia por aí fazendo autocríticas desnecessárias e que talvez até possam prejudicá-lo. Tenho aconselhado inúmeras pessoas a mudar a atitude quando percebo que, para fazer um charminho, começam a se autodepreciar, como, por exemplo, aquele que diz que de manhã tem muita dificuldade para funcionar e que, nesse período, se tiver de fazer algo importante, precisa "pegar no tranco". Ou aquele que, ao ter de pedir nova explicação para informações que não tenha entendido, revela que é meio lentinho para raciocinar. Essas atitudes não são inteligentes e podem comprometer a sua imagem. Por isso, nada de sair por aí dizendo que se acha meio burrinho, preguiçoso, lerdo, desorganizado, impontual, dorminhoco e tantos outros adjetivos que só contribuirão para desgastar a sua reputação.

Não se levar a sério significa usar a autogozação com inteligência, revelando com bom humor e até com certa irreverência fatos ou características pessoais que, por vaidade ou receio da crítica, normalmente as pessoas escondem.

5

Saiba contar histórias

Esse é um dos mais preciosos recursos da boa comunicação: saber contar histórias interessantes e – atenção – bem curtinhas. Quase todas as pessoas gostam de ouvir uma história interessante e curtinha de vez em quando. Sentiu? Bem *curtinha* e *de vez em quando*. Nada de se transformar num contador de histórias compulsivo – ninguém aguenta um conversador noveleiro. Se você insistir com uma muito longa, não vai demorar muito para que os ouvintes comecem a se desmotivar e a torcer para que termine logo com essa espécie de tortura. Por melhor que seja a narrativa que estiver contando, se for longa, resista, não conte. O melhor laboratório para testar suas histórias e tiradas espirituosas é em casa ou com os amigos. Fique atento: se nem com eles funcionar, tenha certeza de que com as outras pessoas será ainda pior. Cuidado também para não sair por aí contando histórias que as pessoas estão cansadas de ouvir, pois quando se tornam muito conhecidas começam a perder o encanto. As melhores são as que você encontra em suas leituras de livros, jornais e revistas, ou ouve nos filmes, peças de teatro e conversas sociais. Essas serão suas, diferentes, e, por isso, despertarão o interesse e criarão maior expectativa nos ouvintes.

Se, entretanto, resolver contar uma história surrada pelo uso, ponha a criatividade para funcionar e revista-a com uma roupagem nova, atraente, de tal maneira que pareça aos ouvintes uma peça inédita, como se estivessem ouvindo aquela narrativa pela primeira vez.

6

Acabe com o "né?"

Um "né?" tudo bem. Dois, vá lá. Três ou quatro ainda podem ser suportáveis. Mas usar o "né?" com frequência, em quase todo final de frase, pode fazer com que as pessoas se irritem e se sintam desestimuladas a prestar atenção em suas palavras, seja numa reunião da empresa, nas negociações, seja nas entrevistas.

Estou falando do "né?" porque ele é o grande chefe de uma imensa família que inclui parentes como "tá?", "ok?", "entende?", "percebe?", "tá entendendo?" e outros agregados não menos votados, como "não é verdade?", "fui claro?".

Para eliminar os desagradáveis "né?" da sua comunicação, o primeiro passo é tomar consciência da existência deles. Embora não seja muito simples descobrir sozinho se o "né?" está entrando e interferindo na sua fala, com um pouco de atenção e boa vontade talvez você consiga perceber se já foi picado por esse bichinho inconveniente. Uma boa solução é gravar suas conversas mais informais ou pedir ajuda a um amigo.

Se você estiver inseguro, a tendência é falar como se estivesse perguntando, mesmo nos momentos em que deveria fazer afirmações. A falta de segurança fará com que esteja quase sempre pedindo algum tipo de retorno ou de aprovação dos ouvintes. É como se você dissesse no final das frases: "Estou me comunicando bem, né?". Por isso, ao falar usando a entonação de quem está fazendo perguntas, irá se valer do "né?" para encerrar as frases.

Assim, sempre que perceber a entonação característica de pergunta na sua comunicação, quando deveria estar afirmando, procure mudar a maneira de falar e se expresse com afirmações.

7

Acabe com o "ããããã"

Um vício irritante e muito comum é o uso frequente dos "ããããã", "ééééé" e "huumm" no início das frases ou durante as pausas. No início das frases que principiam a conversa ou a apresentação, costumam ajudar a compor um trio igualmente chato: "bem, bom, ããããã". Em casos mais graves, as pessoas produzem ruídos tão altos e prolongados que chegam a tirar a concentração dos ouvintes. O fato de o pensamento trabalhar em uma velocidade muito maior do que a usada para pronunciar as palavras pode levar você – que já sabe o que pretende dizer, mas que ainda não está de posse da expressão apropriada – a usar esses ruídos como se quisesse avisar que já sabe o que pretende comunicar, mas ainda não encontrou as palavras. É como se dissesse assim: "Eu sei o que quero dizer, ééééé, ããããã". Além desse motivo, quando você está falando diante de um grupo, poderá sofrer uma tensão que o pressionará a preencher todas as pausas com algum tipo de som. Com esse ruído, é como se você se libertasse do silêncio desconfortável.

Também nesse caso, o primeiro passo para superar o vício inconveniente é ter consciência da existência dele. Em seguida você deverá se esforçar para aprender a pensar em silêncio. O silêncio é positivo e muito necessário à qualidade da sua comunicação, e o fato de você ficar alguns segundos sem emitir nenhum som possivelmente o ajudará a valorizar as informações transmitidas, aumentará o interesse dos ouvintes por aquilo que irá dizer ou facilitará o entendimento do que acabou de comunicar, além de tornar sua fala mais expressiva, natural e agradável.

8

Deu branco

Se você estiver falando diante de um grupo de pessoas e de repente der um branco e se esquecer completamente da informação que pretendia transmitir, não fique desesperado.

O desespero é um veneno para a apresentação, pois, se você for dominado por ele, mais irá se pressionar e maior será a dificuldade para encontrar uma saída. Lógico que não é tão elementar assim, mas o caminho é esse mesmo. Empenhe-se nessa direção e tente manter a calma.

Não insista. Ao perceber que deu branco, tente apenas uma vez se lembrar da informação. Se não conseguir resgatá-la na primeira tentativa, repita a última frase que pronunciou, como se estivesse querendo dar ênfase àquela parte da mensagem – é provável que, ao chegar ao ponto em que deu branco, a informação surja naturalmente.

Se, no entanto, essa tática não funcionar, use a expressão mágica, que se constitui no melhor remédio contra o branco. É tiro e queda. Diga: "na verdade o que eu quero dizer é...". Com essa expressão você se obrigará a explicar a informação por um outro ângulo, e o pensamento se reorganizará para seguir a sequência planejada. Não falha. Use que dá certo.

E, se por uma desgraça da circunstância não funcionar, diga aos ouvintes que mais à frente voltará a tratar daquele aspecto da mensagem e passe imediatamente para outro tópico. Provavelmente, mais tranquilo e sem a pressão de ter de encontrar a informação, no transcorrer da exposição você se lembrará com mais facilidade. Mesmo que não consiga se lembrar da informação, dificilmente um ouvinte irá cobrá-lo por isso.

9 Não arme barraco

Alguns indivíduos arrumam confusão com tanta facilidade que mereciam o diploma de encrenqueiros profissionais. Discutem besteiras como se estivessem defendendo a própria vida. Qualquer assunto serve – futebol, política, religião –, por pura vaidade, sabendo que no final cada um continuará com sua opinião. E citei esses temas por serem os "clássicos", mas poderia mencionar centenas de outros que cercam o nosso dia a dia, como qualidade de programas de televisão, moda, estilo de vida, crianças, sexo de pato ou ejaculação de minhoca. E olha que estou falando de gente arrumadinha, de gramática redonda, berço lustrado, mas que, num piscar de olhos, depois de ter chegado de mãozinha dada, esquece as regras da etiqueta e arma o barraco por nada. O casal cria mal-estar no grupo de amigos e contribui com essa atitude para cavar ainda mais fundo o fosso do desentendimento.

Esses debates verbais podem causar ressentimentos e criar hostilidades e antipatias que não raro perturbam o relacionamento.

Analise bem a circunstância antes de iniciar uma discussão. Verifique se é mesmo muito importante tentar convencer as outras pessoas do seu ponto de vista e, de maneira consciente, tome a decisão que julgar mais acertada. Vai descobrir que quase sempre o lucro será maior se ficar na sua.

Se, no meio de uma discussão que se iniciou como uma conversa natural para troca de opiniões, você perceber que, tanto de um lado como de outro, as vozes se alteraram, cada um se fechou nas suas próprias ideias e que em pouco tempo alguém poderá começar a rodar a baiana, não hesite: deixe a vaidade de lado, concorde de maneira genérica com a opinião contrária e tire o time de campo.

10

Seja gentil

Ser gentil é a atitude mais eficiente para conquistar a simpatia e a benevolência das pessoas. E essa conquista significa ter os ouvintes a seu lado, torcendo pelo seu sucesso e aceitando com boa vontade a mensagem e as ideias que você defende. A gentileza pode estar no tom amável da voz, na generosidade das palavras, na honestidade dos princípios e da ética. Atitudes gentis geralmente são recompensadas com alegria, felicidade e a consciência de que, tratando bem as pessoas, estará semeando relacionamentos duradouros e amizades sinceras. Reflita um pouco sobre suas atitudes e verifique, sem resistências ou preconceitos, como tem sido seu contato com as outras pessoas. Se concluir que não está sendo muito gentil e atencioso, talvez possa rever seu comportamento e passar a ter uma conduta que lhe proporcionará uma convivência mais saudável e, consequentemente, melhor qualidade de vida.

É um gesto gentil ceder o lugar, no ônibus, no metrô, numa sala de espera, às pessoas mais velhas ou de qualquer idade que estejam carregando crianças no colo, sacolas, ou objetos que claramente demonstrem algum tipo de desconforto.

Segurar a porta de entrada do restaurante ou do elevador para que a pessoa a encontre aberta é uma atitude muito simples e demonstra educação, generosidade e gentileza. Agindo assim, você não estará apenas sendo simpático à pessoa que foi beneficiada com seu gesto, mas também, e principalmente, aos olhos de todos os que estão a sua volta. Mesmo que não o conheçam, irão avaliar seu comportamento como sendo de alguém de boa formação e que deve ser admirado. E, se alguém for gentil e segurar a porta para você, não se esqueça de agradecer.

11

Faça do "nós" uma expressão mágica

Pessoalmente não gosto muito do "nós" quando utilizado como plural de modéstia (também conhecido como majestático). Soa falso e parece artificial.

Não vejo muito sentido em dizer: "Fizemos um grande esforço para estar aqui". Seria mais natural, e provavelmente pareceria mais verdadeiro, se fosse dito: "Fiz um grande esforço para estar aqui" – desde que, evidentemente, a pessoa não tivesse ido mesmo acompanhada ou não estivesse falando em nome de um grupo.

Embora essa tenha sido uma prática comum no passado, hoje ainda há remanescentes de cabelos grisalhos que preservam a tradição e até alguns jovens que foram contaminados pelo uso do "nós" com intenção de demonstrar modéstia.

É questão de estilo e preferência – caberá a você decidir como se sentirá melhor.

Entretanto, há situações em que o "nós" aparece como uma palavrinha mágica na comunicação, e pode ser o detalhe que fará a diferença para que os ouvintes sejam conquistados.

Quando ensinamos, aconselhamos ou fazemos sugestões aos ouvintes, o "nós" tem o poder de afastar resistências desnecessárias. É como se o orador estivesse se incluindo no grupo para receber a mensagem, isto é, ele aconselha, mas ao mesmo tempo é aconselhado; ensina, mas ao mesmo tempo recebe os ensinamentos.

Seria diferente se ele usasse o "vocês" no lugar do "nós", pois, se assim o fizesse, passaria a impressão de que era o único a saber como agir e que os outros, aqueles que recebem suas informações, são despreparados ou desinformados. Ergueria, dessa forma, uma barreira diante dos ouvintes, dificultando a tarefa de conquistá-los.

12 Seja você mesmo

Se você me pedisse um bom conselho sobre como fazer sucesso na comunicação, eu diria sem nenhum receio de errar: seja natural. Aprenda e aplique todas as regras da comunicação, mas jamais perca sua naturalidade. Fale nas reuniões da empresa, nos contatos sociais e de negócios preservando seu estilo e respeitando suas características.

Tenha em mente que, se você cometer erros técnicos de comunicação, mas conseguir se expressar de maneira natural e espontânea, as pessoas ainda poderão confiar na sua mensagem. Se, entretanto, você aplicar todas as técnicas, mas se apresentar com artificialismo, os ouvintes duvidarão das suas intenções e se mostrarão resistentes ao que disser a eles.

Observe como se comporta quando está falando com as pessoas mais íntimas – amigos, colegas de trabalho e familiares – e procure se apresentar em outros ambientes mantendo essa mesma forma de ser.

É evidente que você deverá buscar cada vez mais o seu aprimoramento e se dedicar para assimilar e aplicar todas as boas técnicas da comunicação, mas sem jamais perder sua naturalidade.

Saiba também que ser natural não significa continuar cometendo erros, pois eles precisam ser corrigidos com estudo, prática e dedicação, para que sua mensagem possa atingir os objetivos que você pretende, seja persuadir, informar, seja entreter as pessoas.

Falando com naturalidade você se sentirá muito mais confiante, e essa segurança permitirá que explore melhor sua inteligência, presença de espírito e capacidade de associar ideias e informações, o que tornará sua comunicação mais eficiente.

13

Fale com envolvimento

Não fale só por falar. Por mais extraordinária que seja sua mensagem, se você falar como se estivesse apenas cumprindo uma tarefa, desobrigando-se de uma incumbência, não conseguirá envolver e tocar as pessoas.

Portanto, ao transmitir uma mensagem, fale sempre com energia, disposição, entusiasmo, emoção. Se você não demonstrar interesse e envolvimento pelo assunto, não poderá pretender que os ouvintes se interessem e se envolvam pelo tema que se dispôs a transmitir.

E para que os ouvintes sejam envolvidos pela emoção, você precisará parecer sempre verdadeiro. Sim, precisará parecer, porque de nada adiantará dizer que está triste ou alegre se as pessoas não identificarem na sua comunicação o sentimento de tristeza ou de alegria. Por isso, em determinadas circunstâncias, você deverá interpretar a sua própria verdade, isto é, além de dizer o que sente, na maneira de expressar esse sentimento, usará toda a sua energia, disposição e vontade, para que haja coerência entre suas palavras e seu comportamento.

Se desejar ser vitorioso com sua comunicação, além de comportar-se sempre de maneira natural e espontânea, fale também com emoção. Na conjugação desses dois aspectos da comunicação – naturalidade e emoção – estará o alicerce, a solidez de uma base consistente para que possa conquistar o maior e mais importante objetivo da comunicação: a credibilidade.

Seja natural, fale com emoção, conquiste a credibilidade das pessoas e terá sempre o caminho livre para alcançar suas vitórias na comunicação.

14

Demonstre conhecimento

Você conseguirá tudo o que deseja se a sua comunicação tiver credibilidade. Para que esse objetivo seja atingido, além de falar com naturalidade e envolvimento, você também precisará demonstrar conhecimento sobre o assunto que estiver tratando.

Observe que estou dizendo que, se você desejar que os ouvintes acreditem no que estiver falando, deverá *demonstrar* conhecimento, e não apenas conhecer o tema que estiver apresentando. As pessoas precisam perceber que as informações que você transmite são fruto da sua experiência, das suas pesquisas, das suas atividades, enfim, que a matéria transpira naturalmente na sua forma de se expressar.

Ao se preparar para uma apresentação,

tenha em mente que deverá saber muito mais do que irá falar.

Por isso, prepare-se com a maior antecedência que puder. Se a sua apresentação for daqui a uma semana, prepare-se durante uma semana. Se for daqui a um mês, prepare-se durante um mês. E, assim, um ano, dois, ou até uma vida inteira.

Aproveite as oportunidades para se impregnar de informações.

Se você tiver de falar sobre qualquer assunto, saiba tudo sobre ele e se transforme numa autoridade a respeito do tema. Essa segurança será percebida pelos ouvintes no momento da apresentação, e as pessoas ficarão mais dispostas a confiar na mensagem. Quanto mais preparado você estiver, mais segurança irá demonstrar e mais credibilidade poderá conquistar.

Se existe uma regra que sempre deverá ser seguida para conquistar credibilidade na comunicação é essa: ter conhecimento e demonstrar preparo na hora de falar. Por isso, prepare-se. E quando se sentir pronto, não pare: prepare-se mais ainda.

15

Seja coerente

Se você permitir que eu me inclua, vou falar no plural: somos pessoas inteligentes e, por isso, sabemos que algumas qualidades são importantes para a projeção da nossa imagem. Por exemplo, pontualidade, organização, tolerância com os mais humildes, espírito de trabalho em equipe.

E por sabermos que essas qualidades são importantes para que possamos nos projetar bem, desejamos tanto possuí-las que, às vezes, julgamos que elas já estão integradas à nossa conduta. E falamos como se as possuíssemos. Ocorre que as pessoas que nos cercam e nos conhecem bem observam que, na verdade, falamos de uma maneira, mas agimos de outra totalmente distinta.

O conceito de coerência está fundamentado na consistência do comportamento, ou seja, no falar e no agir de acordo com a pregação que fazemos.

As palavras não podem ser proferidas de maneira vazia e irresponsável, como se não tivessem significado e encerrassem em si mesmas o compromisso entre o que dizemos e a forma como agimos.

Disse Vieira no Sermão da Sexagésima: "Sabem, padres pregadores, por que fazem pouco abalo os nossos sermões? Porque não pregamos aos olhos, pregamos só aos ouvidos. Por que convertia o Batista tantos pecadores? Porque assim como as suas palavras pregavam aos ouvidos, o seu exemplo pregava aos olhos".

Essa é uma tarefa de todos os dias: vigiar o nosso próprio comportamento, observar se não estamos apenas falando por falar, fazendo uso de palavras ocas, que não identificam exatamente o que pensamos, acreditamos, sentimos ou fazemos.

16

Considere o nível intelectual dos ouvintes

Saber qual é o preparo intelectual predominante dos ouvintes é de fundamental importância para o sucesso da comunicação.

Se o nível intelectual predominante for médio para baixo, isto é, se você precisar falar para um grupo composto de pessoas incultas, despreparadas, com dificuldade de entendimento, não poderá transmitir informações de maneira complexa a partir de pensamentos abstratos, pois provavelmente elas não conseguirão acompanhar o raciocínio e perderão o interesse. Assim como não seria conveniente desenvolver uma brilhante e consistente linha de argumentação e ao final pedir a esse tipo de plateia que refletisse e chegasse a uma conclusão, porque é fácil deduzir que, por terem dificuldade de compreensão, as pessoas não conseguiriam chegar sozinhas à conclusão que você pretende. Quando perceber que possuem nível intelectual médio para baixo, redobre seus esforços de comunicação para ajudar os ouvintes a compreender. Transmita as informações de maneira clara, acompanhadas de ilustrações ou metáforas, e empenhe-se em repetir os conceitos importantes várias vezes. E se depois de alguns argumentos resolver levantar uma reflexão, você é que deverá dar a conclusão, sempre com o objetivo de facilitar o entendimento de quem o ouve.

Ao contrário, se o nível intelectual predominante do grupo for médio para cima, você poderá apresentar as informações por meio de raciocínios mais abstratos e complexos, pois as pessoas conseguirão acompanhar as ideias com facilidade; e se depois de alguns argumentos resolver levantar uma reflexão, poderá deixar a conclusão por conta delas.

17

Avalie o conhecimento dos ouvintes

É evidente que, se você chegar diante de um grupo de pessoas especializadas em finanças e tentar ensinar como se calculam juros compostos, como para elas o assunto é muito elementar, em poucos segundos só haverá cadeiras na plateia, e, se bobear, até elas estarão sonolentas. Da mesma maneira, se você apresentar esse tema para pessoas que nunca ouviram falar em taxa de juros e mostrar fórmulas para calcular o valor presente de uma operação complexa, nem terá saído dos cumprimentos iniciais e os ouvintes já estarão olhando para o relógio.

Não fale sobre um assunto tomando por base o seu próprio conhecimento, pois sua medida, provavelmente, não atenderá às exigências do público. Analise com antecedência que tipo de informação a plateia tem sobre o tema e adapte a complexidade da matéria à capacidade de entendimento dos ouvintes.

A situação irá piorar muito se o grupo for heterogêneo. Nessa circunstância, você encontrará, juntas, pessoas que conhecem com profundidade o tema e outras que possuem pouca ou nenhuma informação sobre o assunto. Se, diante de uma plateia com essas características, você expuser a matéria com profundidade ou de maneira superficial, possivelmente perderá o interesse de parte do público. A saída nesse caso é falar como se as pessoas tivessem um nível de conhecimento mediano. Assim, você poderá diminuir um pouco a complexidade da mensagem e, com algumas explicações complementares, permitirá que as pessoas que não estejam tão familiarizadas com o tema consigam acompanhar sua explanação, sem afastar o interesse daquelas que já conhecem o assunto com maior profundidade.

18

Leve em conta a faixa etária dos ouvintes

Se você já passou dos setenta ou tiver alguém em casa nessa faixa de idade, então deve saber que nessa fase da vida as pessoas não só têm muitas histórias para contar como gostam de viver de recordações. Segundo Aristóteles, essa é uma característica bem acentuada nas pessoas idosas: preferem falar do passado, das experiências que tiveram, a refletir sobre o futuro. Por outro lado, se você for jovem, ou conviver com adolescentes, deve ter observado que nessa idade o passado conta pouco, pois é a fase em que as pessoas fazem planos, arriscam, são mais irreverentes e prevalecem nelas a impetuosidade e o interesse pelo futuro.

Conhecer e saber entender as características das diferentes faixas etárias é fundamental para o sucesso de uma apresentação. Por isso procure saber com antecedência qual é a idade predominante das pessoas que irão ouvi-lo. Se não puder saber antes, será possível ainda fazer essa observação quando já estiver diante da plateia. Não fique preocupado por causa das adaptações que terá de fazer, pois a mensagem continuará sendo a mesma que você planejou, apenas a maneira de falar é que deverá ser modificada para que vá ao encontro da realidade dos ouvintes.

Assim, se perceber que a plateia é predominantemente jovem, você deverá desenvolver as informações falando de planos, do que poderia ocorrer ou ser realizado no futuro. Se, por outro lado, o público for predominantemente idoso, você deverá recorrer aos fatos do passado e aproveitar a experiência dos ouvintes para despertar o interesse deles e motivá-los a chegar às conclusões que deseja.

19

Faça adaptações diante dos ouvintes

Já pensou na saia justa que estaria vestindo se, depois de ter preparado uma apresentação com todo o cuidado, chegasse na frente da plateia e descobrisse que as pessoas não têm nada a ver com o tipo de público que você havia imaginado durante a fase de planejamento? Ora, se falar em público já deixa a maioria com o coração na boca, esse tipo de engano pode trazer consequências ainda mais graves. Nessas situações, a atitude mais acertada é abandonar o que havia sido planejado e criar uma outra apresentação mais apropriada, levando em conta o nível intelectual do público, o conhecimento que a plateia tem sobre o assunto e a faixa etária dos ouvintes. Essa nova apresentação improvisada, feita ali diante dos ouvintes, com todas as falhas que muito provavelmente surgirão, com certeza será mais eficiente do que a outra, que, apesar de ter sido preparada com todo o rigor técnico, estaria sempre distante, divorciada da realidade dos ouvintes.

Por isso, prepare-se da melhor maneira que puder, mas fique esperto e pronto para dar meia-volta e mudar a maneira de expor a mensagem, considerando o tipo de público que efetivamente tiver pela frente. Eu sei que, até por uma questão de segurança, a tendência é manter a apresentação da forma como havia sido planejada, mas de nada adiantará transmitir a mensagem se, no final, as pessoas não compreenderem seu objetivo, ou não se envolverem com ela. Não custa nada ser um pouco mais ousado, mudar e tentar salvar uma apresentação que, se seguisse o andar da velha carruagem, teria tudo para fracassar.

20

Com a caneta na mão

Parece besteira, coisa sem importância, mas não passa uma semana sequer sem que um aluno me pergunte se há problema em falar com uma caneta na mão. A maioria afirma que, segurando uma caneta, se sente mais à vontade e com menos nervosismo. Bem, quem sou eu para condenar um recurso que dá segurança e tranquilidade ao palestrante?! Lógico que se você puder falar com as mãos livres, sem segurar nenhum objeto, sua apresentação provavelmente será muito mais eficiente.

Para você saber se será conveniente ou não segurar uma caneta ou qualquer outro objeto enquanto estiver falando, analise o contexto da apresentação. Por exemplo, se você falar usando um quadro branco como recurso visual e segurar o pincel de tinta enquanto dá as explicações para os ouvintes, não haverá nenhum problema, pois ele naturalmente estará fazendo parte do contexto da apresentação. Se, entretanto, nessa mesma circunstância, você segurar uma caneta esferográfica, por ela não ter utilidade prática naquele momento – já que não poderá utilizá-la para escrever no quadro –, estará fora do contexto da apresentação e poderá desviar a atenção dos ouvintes. Porém, você poderia segurar essa caneta esferográfica se estivesse falando sentado à mesa, pois, nesse caso, pelo fato de ela ser útil para possíveis anotações, participaria naturalmente do contexto da exposição.

Às vezes somos obrigados a falar segurando vários objetos, como *laser pointer*, microfone, pastas, bloco de anotações. Mesmo com as duas mãos ocupadas, será possível fazer a apresentação sem desviar a atenção da plateia, pois esses objetos estão inseridos no contexto.

21

Coma pelas bordas

No interior, quando alguém vai contornando as dificuldades para atingir seus objetivos, diz-se que ele está "comendo pelas bordas".

Essa sabedoria interiorana poderá ser perfeitamente aplicada como recurso de comunicação quando você tiver de enfrentar pessoas resistentes com relação ao assunto da sua apresentação.

Ao tratar de assuntos polêmicos ou controvertidos, algumas pessoas estarão a favor da mensagem e outras contra. Seu objetivo não será, obviamente, conquistar aquelas que concordam com você, pois essas já estão do seu lado e comungam das mesmas ideias. Sua intenção deverá ser mudar a opinião das que pensam de maneira diferente. Por isso, uma atitude inadequada seria dar sua opinião sobre o assunto logo no início, pois esse procedimento aumentaria ainda mais a resistência dos ouvintes que você precisa conquistar, isto é, ampliaria a dificuldade para fazer com que o público agisse de acordo com sua vontade.

Por mais que a sua opinião e a dos ouvintes sejam diferentes, sempre existirão pontos comuns. Aprenda a identificá-los e os utilize para construir um campo de neutralidade por onde você poderá transitar com segurança. A regra é bastante simples: você iniciará a apresentação mencionando os pontos que sejam comuns a todos e, justamente por serem comuns, as pessoas concordarão com ele. De tal maneira que, depois de algum tempo, elas começarão a imaginar que, pelo fato de possuírem essa identidade, a forma de pensar é a mesma. Como consequência, vão se desarmar das resistências, sairão da posição defensiva e passarão a acompanhar seu raciocínio com interesse.

22

Você acha ou tem certeza?

Algumas pessoas ficam indignadas quando ouvem alguém usar a palavra "acho". É comum em sala de aula os alunos se voltarem para mim com o intuito de criticar um colega que, ao se apresentar na tribuna, se valeu do "acho". Dizem: "– Polito, ele usou o 'acho'. Essa palavra não diminui a autoridade, não tira a força da convicção de quem fala?".

Analise o emprego desse vocábulo de acordo com a circunstância e observe se as características da mensagem recomendam ou não seu uso.

Na verdade, palavras como "acho", "julgo", "suponho", "acredito", "penso" e outras da mesma família se constituem quase sempre excelentes recursos diplomáticos para evitar o confronto com pessoas que possuem opiniões diferentes daquela que defendemos. Ao dizer "eu acho", estou também informando aos ouvintes, nas entrelinhas, que tenho consciência de que outras pessoas talvez pensem de maneira distinta e que, portanto, não existe apenas a minha opinião. Assim, aqueles que não concordam com o que está sendo exposto não se sentem confrontados e podem pelo menos ouvir uma opinião contrária sem levantar resistência precipitada.

Entretanto, o uso do "acho" já não seria recomendado se alguém estivesse, por exemplo, sugerindo ou determinando soluções para um problema que não pudesse dar margem a erros. Não seria admissível que um ministro baixasse um pacote de medidas que iria exigir o sacrifício de toda a população dizendo que "achava" que aquele era o melhor caminho.

Há, portanto, situações em que o uso dessa palavra deve ser evitado para não prejudicar o trabalho de persuasão, e outras em que o efeito é exatamente o contrário: evita confrontos e ajuda a persuadir.

23

Mantenha os ouvintes acordados

Se você fizer uma apresentação sem conteúdo, só contando historinhas, fazendo piadas e usando citações, os ouvintes vão rir e, no final, poderão até aplaudir de pé. Entretanto, sairão do evento com a sensação de vazio, com o sentimento de que foi um momento de prazer, mas que aquele espetáculo não vai servir para nada. Cada vez mais as empresas se sentem logradas por acreditar que, ao contratar determinadas palestras para motivação dos seus empregados, estavam fazendo um excelente investimento. Muitas vezes constatam que o resultado foi fraquinho, pois ninguém aprendeu nada, perderam tempo e jogaram dinheiro fora. Quando as pessoas voltam para seus locais de trabalho, continuam fazendo o que sempre fizeram, sem que possam aplicar uma vírgula do que ouviram.

Se, por outro lado, a sua palestra tiver como único objetivo o conteúdo, e você imaginar ser essa a solução para que as suas apresentações conquistem sucesso, está enganado, pois é quase certo que serão chatas e desestimulantes. Por isso, monte sua palestra com o equilíbrio entre o *show* e o conteúdo, pois um recurso depende do outro para fazer de uma apresentação um sucesso. O segredo é fazer a palestra em diversos blocos distintos, ligados por um fio condutor para mostrar a interdependência das partes, mas de forma que um não dependa muito do antecedente para ser compreendido. Você passa um conjunto de informações, conta uma história interessante ou uma piada para ilustrar, usa um visual para ajudar a plateia a reter a mensagem, promete uma novidade que irá surpreender ou beneficiar a todos e parte para o novo bloco. E assim vai cumprindo etapa por etapa toda a apresentação, envolvendo os ouvintes e transmitindo conteúdo.

24

Perguntas: antes, durante ou depois?

Há situações em que é mais conveniente que as perguntas dos ouvintes surjam desde o início da apresentação; em outras, entretanto, é melhor deixar para o final, e há aquelas também em que é mais apropriado esperar que o público decida como deseja agir.

Quando tiver domínio do assunto que vai expor, poderá sugerir à plateia que faça perguntas desde o início, pois assim será possível interagir com os ouvintes o tempo todo.

Se, entretanto, seu conhecimento sobre o tema for apenas limitado, é melhor não correr o risco de permitir que façam perguntas desde o início e que levantem questões para as quais não saiba a resposta. Assim, quando o conhecimento sobre a matéria for apenas superficial, é recomendável que as perguntas sejam feitas apenas no final.

Se o público for reduzido – menos de cem pessoas –, uma vez que você tenha domínio do assunto, poderá permitir que façam perguntas desde o princípio, pois será possível manter o controle dos ouvintes. Se, entretanto, o público for numeroso – acima de cem pessoas –, mesmo você tendo conhecimento do assunto, o ideal é que as perguntas sejam feitas no final.

Se tiver de falar com tempo determinado e reduzido – menos de meia hora – deverá permitir as perguntas apenas no final, pois, se respondê-las desde o início, ou não cumprirá o tempo determinado, ou não conseguirá transmitir toda a mensagem.

Quando os ouvintes possuem baixo nível intelectual, ou sabem muito pouco sobre o assunto que será tratado, é recomendável que só façam perguntas no final, pois se, sem conhecimento, ou despreparados, começarem a perguntar desde o início, correrá o risco de que levantem questões impróprias ou inconvenientes que poderão comprometer o interesse da plateia.

Quando usar recursos audiovisuais

Tome cuidado, pois os recursos audiovisuais são excelentes, mas, se não forem bem utilizados, podem atrapalhar. A primeira questão importante a ser esclarecida é quando você deverá fazer uso de um recurso audiovisual.

Seria difícil imaginar uma apresentação de boa qualidade sem o apoio desses recursos. Para ter uma ideia da importância deles, basta dizer que, se apresentarmos uma mensagem apenas oralmente, depois de três dias os ouvintes irão se lembrar apenas de 10% do que lhes foi transmitido. Entretanto, se essa mesma mensagem for apresentada com o auxílio de um visual, depois desse mesmo tempo eles se lembrarão de 65% do que lhes foi comunicado.

Quando usar um visual

Um visual eficiente deve atender a três objetivos principais:

- destacar as informações importantes;
- facilitar o acompanhamento do raciocínio;
- possibilitar a lembrança do assunto por tempo mais prolongado.

Ao produzir um visual, faça sempre esta pergunta: este visual está atendendo a esses três objetivos? Se a resposta for positiva, use-o sem receio. Entretanto, se a resposta para um dos itens não for afirmativa, comece a desconfiar da utilidade dele e prepare-se para meter a tesoura e eliminá-lo.

Você não deverá usar um visual como recurso de apoio se ele servir apenas como ilustração para tornar a exposição mais atraente, substituir informações que poderiam ser transmitidas verbalmente, ser seguido como simples roteiro ou, o que é pior, para imitar outros palestrantes que sempre se apoiam em recursos visuais. Deixe-o de lado também se o custo e o tempo de preparação não puderem ser justificados pelos resultados pretendidos nem pela importância do evento.

26

Dez regras básicas para produzir um bom visual

1. Coloque um título

Um bom título deve ser simples, de poucas palavras e muito esclarecedor. Normalmente o título deve ser colocado na parte superior do visual.

2. Faça legendas

Colunas coloridas e linhas horizontais serão apenas colunas coloridas e linhas horizontais se não forem identificadas por legendas.
Facilite a visualização das legendas arredondando os números.

3. Escreva com letras legíveis

Escolha letras grandes, com tamanho suficiente para serem lidas por todas as pessoas da sala.

4. Limite a quantidade de tamanho das letras

Você conseguirá melhor uniformidade se usar o máximo de três tamanhos de letra por visual.

5. Componha frases curtas

Cada frase deve representar em essência uma ideia completa, com o menor número de palavras possível. De maneira geral, seis ou sete palavras são suficientes.

6. Use poucas linhas

Como ideia de grandeza, se o visual for elaborado no sentido horizontal, procure usar seis ou sete linhas. Se for no sentido vertical, poderá chegar a oito ou nove linhas.

7. Use cores

Use, mas não abuse.
Use cores contrastantes para destacar bem as informações e, a não ser que seja muito necessário usar um número maior, estabeleça um limite de três a quatro cores por visual.

8. Use apenas uma ideia em cada visual

Identifique a ideia central da mensagem e restrinja-se a ela no visual.

9. Utilize apenas uma ilustração em cada visual

A ilustração pode ajudar a tornar clara a mensagem, facilitando a compreensão dos ouvintes. Uma única ilustração é suficiente.

10. Retire tudo o que prejudicar a compreensão da mensagem

Só deixe no visual os dados que facilitem a compreensão da mensagem.

27

Use a roupa certa

Ao se decidir pela roupa que irá usar nas apresentações, leve em conta os seguintes fatores:

A atividade profissional – observe como os profissionais que exercem atividade semelhante à sua costumam se vestir. É de esperar, por exemplo, que o diretor de uma instituição financeira ou um advogado, se for homem, se apresente de terno e gravata, e, se for mulher, também se vista de maneira mais formal. Se, entretanto, num outro extremo, for um esportista, seria normal se aparecesse diante da plateia com roupas informais.

A época – não seria adequado aparecer diante da plateia vestido como se ainda estivesse na década de 40 ou 50, com roupas ultrapassadas. Por outro lado, seria também muito inconveniente assistir pela televisão a um desfile de modas realizado em Milão e, no dia seguinte, envergar um dos trajes mais ousados, aparecendo como se fosse um marciano descendo de uma nave.

A formalidade – o ideal é usar um traje adequado à formalidade da circunstância da apresentação, mas, se tiver dúvida quanto à formalidade do evento, vá vestido formalmente.

O hábito – se estiver acostumado a comprar roupas novas com frequência, nada como zero-quilômetro para fazer aquela apresentação importante. Se, todavia, comprar roupas novas passa longe das suas prioridades, não convém mudar o hábito nesse momento, pois poderá ser mais um detalhe de desconforto para sua apresentação.

O estilo – independentemente de qualquer outro fator, conta muito o seu estilo, o tipo de roupa com o qual se sente à vontade. Se puder usar roupas com as quais se sinta bem, com pequenas adaptações à sua atividade profissional, à época em que vive e ao hábito de se vestir, faça prevalecer seu estilo.

28

O volume de voz ideal

Ao chegar no local de sua apresentação, seja numa sala de reunião, num auditório, seja numa sala de aula, faça uma avaliação do ambiente para saber qual o volume de voz mais apropriado a ser utilizado. Analise a acústica da sala, a distância em que se encontram os últimos ouvintes, se haverá microfone ou não, enfim, qual a situação dos fatores que irão influenciar o volume da sua voz. A partir dessa avaliação é que deverá determinar o volume mais adequado. Você não poderá gritar quando estiver falando para uma ou duas pessoas, porque, senão, elas poderão se irritar e ficar resistentes. Da mesma forma, não poderá sussurrar quando estiver diante de um público numeroso, porque, do contrário, os ouvintes terão dificuldade para compreender suas palavras e, como consequência, poderão se desinteressar pela mensagem.

Entretanto, procure falar sempre um pouco mais alto do que seria suficiente para que as pessoas pudessem ouvi-lo, pois assim demonstrará mais interesse e envolvimento pela mensagem que transmite. Portanto, se estiver se apresentando para um grupo de 20 pessoas, fale como se estivesse diante de uma plateia com 50; da mesma forma, se estiver diante de um público com 50 ouvintes, fale como se estivesse diante de 80 ou 100 pessoas. Com essa atitude terá melhores condições de influenciar o ânimo e manter a atenção da plateia. Lembre-se, todavia, de preparar as pessoas de forma adequada para que possam efetivamente se envolver com sua maneira de se expressar, caso contrário, só você, por falar mais alto, demonstrará estar envolvido, enquanto os ouvintes, ainda pouco motivados, se comportarão como meros espectadores, sem nenhum tipo de participação.

29

Continue falando depressa

De vez em quando aparece alguém reclamando que fala muito depressa e que precisaria falar um pouco mais devagar. O diálogo, com uma ou outra alteração, é mais ou menos o seguinte:

– Professor, eu falo muito depressa. Se existisse radar na comunicação, eu pagaria multa por excesso de velocidade.

– Mas você conseguiria falar mais lentamente?

– De jeito nenhum, porque eu penso muito depressa. Se eu tentar falar mais devagar, não consigo pensar com a mesma facilidade e começo a me sentir meio burrinho.

– Ora, como é que você, com esse perfil, pretende falar mais devagar? Tome muito cuidado porque, para desenvolver um recurso, que é a velocidade que julga mais apropriada, poderia comprometer uma qualidade muito mais importante, que é a fluência das ideias.

Se esse também for o seu caso, continue falando depressa, mas desenvolva técnicas que sejam adequadas para suas características:

- **Fale com boa dicção**

Se você aperfeiçoar sua dicção e pronunciar bem as palavras, mesmo falando mais rápido as pessoas irão entender e acompanhar sua mensagem.

- **Faça pausa no final do raciocínio**

Ao concluir o raciocínio, faça pausa com a inflexão de voz que demonstre que o pensamento está encerrado. Assim, as pessoas terão condições de refletir sobre as informações que você transmitiu.

- **Repita as informações importantes**

Adquira o hábito de repetir as informações importantes usando palavras diferentes para dar mais chances de as pessoas entenderem a mensagem.

Falando com boa dicção, fazendo corretamente as pausas e repetindo as informações importantes, mesmo falando rápido, você irá transformar sua característica num estilo positivo de comunicação.

30

Continue falando devagar

Às vezes surge aquele que reclama porque fala muito devagar:

– Professor, preciso mudar meu jeito de falar, pois minha fala é muito lenta.

– Mas você consegue falar mais depressa?

– Não consigo, porque enquanto falo gosto de ordenar com detalhes todas as informações que preciso transmitir.

– E você acha que com esse preciosismo todo vai conseguir falar mais depressa? Com essa preocupação em planejar tudo o que vai dizer desde o princípio até o final, se tentar falar mais rápido vai se violentar e prejudicar a eficiência da sua comunicação.

Se esse também for o seu caso, continue falando devagar, mas lance mão das técnicas apropriadas a quem se expressa dessa forma:

• Continue olhando para os ouvintes

Durante os instantes de pausa, continue olhando para os ouvintes. Assim, não romperá a linha que deve ligá-lo à plateia.

• Volte a falar com mais ênfase

Principalmente depois das pausas mais prolongadas, volte a falar com um pouco mais de ênfase e energia, pois desse modo demonstrará que, nos momentos de silêncio, estava optando pelas informações mais importantes e não passará a ideia de que as palavras haviam desaparecido por causa de um branco.

• Faça pausas apropriadas

Tome cuidado com a inflexão de voz usada nas pausas. Use pausa que indique continuidade no meio do raciocínio e pausa de fechamento quando encerrar a informação.

• Elimine o "ããããã" nas pausas

Aprenda a ter paciência e a esperar as palavras em silêncio e assim eliminará esse vício muito comum de quem fala devagar.

Se tomar esses cuidados, poderá continuar falando devagar, pois estará transformando essa característica num estilo positivo de comunicação.

31

Ponha ritmo na fala

Tan tan tan, tan tan tan, tan tan tan. Sempre o mesmo tom monocórdio, sem alterar o volume da voz nem a velocidade da fala. Por mais interessante que seja o assunto, não há cristão que aguente a mesma ladainha o tempo todo, verdadeiro sonífero produzido especialmente para adormecer plateias. Se você falar sempre com a mesma velocidade e o mesmo volume, sem inflexão de voz que acentue de maneira apropriada as pausas expressivas das frases, em pouco tempo estará diante de uma legítima pescaria, vendo a cabeça dos ouvintes tombando para frente e para trás.

Sempre que se apresentar, em qualquer circunstância, procure impor ritmo à sua exposição e tornar sua fala mais "colorida" e atraente. Em determinados instantes, fale mais rápido; em outros, mais devagar; transmita alguns trechos da mensagem falando mais alto e outros com volume mais baixo, até sussurrando se preciso, para envolver os ouvintes e deixá-los mais motivados a acompanhar a exposição.

Observe os palestrantes mais renomados e verifique como todos eles magnetizam as plateias impondo um ritmo melodioso à apresentação, desde o princípio até o final. Exercite o desenvolvimento da cadência e do ritmo da fala fazendo leitura de poesia em voz alta. A melodia, as pausas mais ou menos prolongadas dos versos ajudam a aprimorar essas qualidades tão importantes da fala, tornando a comunicação muito mais interessante e eficiente. E não espere apenas as grandes e importantes apresentações para pôr esta dica em prática: use todas as oportunidades para exercitar – as conversas com os amigos, com as pessoas da família, com os colegas de trabalho –, de tal maneira que o ritmo passe naturalmente a fazer parte de sua comunicação.

32

Pronuncie bem as palavras

Faça uma avaliação de dois exemplos extremos e bem exagerados: imagine uma pessoa muito bem preparada intelectualmente que fale seguindo perfeitamente as boas normas gramaticais e pronunciando de maneira correta todos os sons das palavras, principalmente o "r" e o "s" finais, bem como o "l" e o "i" intermediários, e outra sem nenhuma formação intelectual, que fale com erros gramaticais e com péssima dicção. Independentemente de qualquer informação complementar, seria muito fácil identificar o bom preparo intelectual do primeiro e a falta de formação do último.

Você também estará sendo avaliado pela maneira como fala. Por isso, procure pronunciar as palavras da forma mais correta que puder. Assim, será mais facilmente compreendido pelos ouvintes e projetará a imagem de uma pessoa com boa formação, conquistando mais autoridade para falar a respeito do assunto de que irá tratar.

Entretanto, não é conveniente ficar pensando na pronúncia dos sons na hora de falar, pois correrá sério risco de ficar artificial. Faça exercícios de leitura em voz alta, de dois a três minutos por dia, colocando um obstáculo na boca (prenda o dedo indicador dobrado entre os dentes de modo que a palma da sua mão fique voltada para fora), e procure pronunciar as palavras da forma mais correta que puder. Depois de uma semana de treinamento, já começará a perceber mais facilidade para pronunciar as palavras. Enquanto essa boa dicção não estiver ocorrendo naturalmente, prefira até pronunciar mal as palavras – e preservar sua naturalidade – a pronunciar bem, mas com artificialismo.

33 Use bem o microfone no pedestal

Ouço com frequência pessoas revelando seu pavor de microfone: "Ah, é só pôr um microfone na minha frente que fico apavorado. É uma coisa esquisita, parece que ele puxa meus pensamentos e eu não consigo mais raciocinar".

Por isso, alguns preferem falar sem microfone, até diante de plateias numerosas. E, como consequência natural, depois de alguns minutos a voz vai dando os primeiros sinais de cansaço. Em casos mais graves, a pessoa chega a ficar afônica, com aquele fiapinho de voz, como a de um torcedor fanático depois do jogo de decisão do seu time.

A maioria, entretanto, teme o microfone justamente porque não sabe usá-lo da forma correta.

Como, de maneira geral, as pessoas não estão familiarizadas com ele, veem-no como um instrumento estranho e se sentem incompetentes para manuseá-lo. Como temem o desconhecido, sentem-se atemorizadas na sua presença. Há também o fato de ele simbolizar apresentações para um grande número de pessoas, seja num estúdio de rádio ou de televisão, seja diante de plateias.

Se você tiver de falar diante de um microfone colocado em pedestal de chão ou de mesa, posicione-o mais ou menos na altura do queixo, geralmente a uns dez centímetros de distância da boca, considerando a sensibilidade do aparelho, e fale sempre olhando sobre ele. Com leve giro do tronco, vá se posicionando de um lado ou de outro, de tal maneira que consiga falar com a boca na direção dele. Nunca incline o corpo para se aproximar do microfone, pois irá se mostrar com postura fragilizada diante do público. Por isso, acerte a altura e passe a falar como se o microfone não existisse.

34

Use bem o microfone na mão

Embora seja simples falar com o microfone na mão, você deverá tomar certos cuidados. Algumas pessoas seguram-no e continuam falando como se estivessem sem ele. À medida que se entusiasmam com a mensagem, gesticulam com o microfone de um lado para o outro, fazendo a diversão dos ouvintes, que se distraem com o malabarismo do palestrante. Sem contar que de nada adiantaria tentar prestar atenção, já que a movimentação do microfone acompanhando os gestos impede que o som da voz seja captado.

Se tiver de falar segurando o microfone, posicione-o na altura do queixo e faça do braço uma espécie de pedestal, mantendo-o sempre no mesmo lugar. Para saber qual a altura e a distância corretas do microfone, basta deixar o braço esticado naturalmente ao longo do corpo e dobrá-lo, levando o aparelho em direção à boca. Ele ficará exatamente no lugar apropriado para captar bem sua voz. Segurar o microfone apresenta a vantagem de permitir que você se movimente diante do público, aumentando as chances de manter a atenção das pessoas. Mesmo que você tenha de se apresentar com o microfone colocado em um pedestal, em uma mesa ou tribuna, de vez em quando retire-o e se movimente falando com ele na mão. Essa atitude poderá dar mais dinamismo à apresentação e estimular os ouvintes a se concentrar na mensagem.

Evite trocar o microfone de uma mão para outra com frequência, o que poderá desviar a atenção dos ouvintes ou demonstrar um desconforto que será prejudicial à sua imagem. Se você fizer essa troca de vez em quando, desde que não chame a atenção das pessoas, poderá ser considerada uma atitude natural.

35 Use bem o microfone de lapela

Quanto à opção pelo melhor tipo de microfone, você ouvirá quase sempre a seguinte pergunta: "O senhor vai usar o de lapela?". E lógico que a tendência será responder que sim, porque, de maneira geral, alguns desses microfones funcionam muito bem. Eles possibilitam que você se movimente diante do grupo e se apresente com as mãos livres para gesticular, segurar anotações, *laser pointer* e outros objetos que precisar. Entretanto, tome cuidado, pois nem todos os modelos possuem a mesma qualidade. Posso afirmar que a maioria dos microfones de lapela não são tão bons para captar a voz quanto aqueles tradicionais, com ou sem fio, que já nos acostumamos a ver presos nos pedestais ou livres nas mãos.

Se usar um microfone de lapela, que é um dos mais comuns, procure prendê-lo na sua roupa em um local o mais próximo possível da boca e, se ainda assim notar que o som é deficiente, não hesite em substituí-lo por um modelo tradicional, que geralmente apresenta melhores resultados. A melhor opção, entretanto, é o microfone tipo *headset*, que, a exemplo do de lapela, permite que você se movimente pela sala e, por estar sempre próximo da boca, capta e transmite o som com melhor qualidade.

O *headset* tem sido uma opção tão boa que, se você tiver de fazer apresentações com frequência, sugiro que providencie um exclusivo para seu uso pessoal. Como nem sempre ele se adapta à aparelhagem de som onde você irá se apresentar, monte também um *kit* com plugues, cabos, adaptadores e tenha a certeza de contar com um aparelho que lhe dará tranquilidade e segurança para fazer bem suas apresentações.

36

Descubra como é o seu vocabulário

Se você já pensou alguma vez que seu vocabulário é muito ruim, junte-se ao clube dos mortais.

Tenho recebido com frequência alunos que chegam reclamando da falta de vocabulário ou da dificuldade que sentem para encontrar as palavras que identifiquem de maneira correta o seu pensamento. Nessas circunstâncias, peço que a pessoa me conte qual é exatamente sua dificuldade com o vocabulário. E, durante uns dois minutos, ela passa a falar sobre os problemas que tem enfrentado e de como, às vezes, sofre sem saber como agir diante de um grupo quando as palavras não aparecem. O mais curioso, entretanto, é que, para explicar o problema do vocabulário, a maioria consegue encontrar todas as palavras de que precisa, sem nenhuma dificuldade.

O problema do vocabulário, de maneira geral, está, portanto, na atitude que temos, e não no vocabulário em si. Se numa situação formal, diante de um grupo de pessoas, você usar as palavras que usa no dia a dia, quando está conversando com amigos, parentes, ou colegas de trabalho, terá à disposição um vocabulário mais do que suficiente para corporificar e vestir todas as suas ideias. É que nessas ocasiões mais formais talvez você costume se expressar com palavras diferentes daquelas que usa nas situações do cotidiano, procurando talvez construir frases com estrutura mais sofisticada e por isso sinta dificuldade para transmitir o que está pensando. Se esse não for o seu caso, parabéns, já aprendeu como agir. Se, entretanto, sentiu que a mensagem se encaixou na sua situação, passe a falar nos momentos formais com a mesma naturalidade como se expressa no dia a dia e encontrará as palavras com mais facilidade.

37

Dê cartão vermelho às palavras vulgares

Se há um "recurso eficiente" para prejudicar a imagem de uma pessoa e comprometer sua credibilidade é o uso de palavras vulgares. Alguns imaginam, ingenuamente, que, usando palavrões e gírias, estarão projetando uma imagem descontraída e natural. Ao contrário, quem se expressa com esse tipo de vocabulário com o tempo tem sua imagem desgastada, deteriorada e, como consequência, corre o risco de enfraquecer e prejudicar sua credibilidade. Tome cuidado especial quando seu relacionamento com clientes, fornecedores e outros profissionais for mais frequente, porque a tendência é ir se despoliciando e passar a usar com mais liberdade expressões vulgares. Sem que você se dê conta, no transcorrer do tempo, talvez seja visto como alguém com muita habilidade para tratar de futilidades, mas sem o respeito profissional necessário para o bom desempenho de suas atividades. Afaste o palavrão e a gíria do seu vocabulário nas situações mais formais, principalmente na atividade profissional.

Não estou dizendo que não se deva nunca usar o palavrão e a gíria. Ao contrário, em ocasiões mais íntimas, com amigos e pessoas da família, dependendo da circunstância, essas palavras podem até fazer parte da boa comunicação. É fácil imaginar, por exemplo, que não teria muita graça contar uma piada para os amigos, enquanto saboreamos um chope gelado, sem usar palavrão ou gíria, pois a história ficaria sem tempero. Agora, utilizar essas expressões de maneira indiscriminada trará o perigo permanente de prejudicar sua imagem e até mesmo sua reputação. Não vacile, garanta a boa qualidade da sua comunicação e se preserve dando cartão vermelho para as palavras vulgares.

38

Tenha cuidado com o vocabulário rebuscado

Especialmente em grandes concentrações, a maior parte sempre é de nível intelectual médio para baixo. Por isso, não se arrisque a sair por aí usando palavras incomuns de forma indiscriminada. Se agir assim, na maioria dos ambientes, quando já estiver no meio da exposição, algumas pessoas ainda estarão tentando entender o que você disse no início. Como não entendem as palavras, também não conseguem acompanhar o raciocínio e, como consequência, deixam de prestar atenção em sua mensagem.

A comunicação oral exige o rápido entendimento da mensagem, pois o ouvinte não terá tempo de voltar e se concentrar melhor em determinados pontos que ficaram obscuros, como ocorre quando a comunicação é escrita. Assim, palavras mais raras, que normalmente não são utilizadas no dia a dia, podem atrapalhar a compreensão da plateia e fazer com que as pessoas fiquem desatentas. Essa é uma dedução óbvia, pois, se elas têm de fazer esforço para entender as palavras, naturalmente se voltam para os próprios pensamentos e se desligam da apresentação, a não ser que o público tenha boa formação intelectual, porque, neste caso, ainda que as pessoas não compreendam determinada palavra, em virtude do seu bom preparo terão condições de entender seu significado no contexto. Mas como esse tipo de plateia é raro, o melhor é não arriscar.

Lembre-se sempre de que, se os ouvintes não conseguirem entender ou acompanhar a mensagem que você transmite, a culpa será sempre sua. Provavelmente, se fizer uma boa análise, descobrirá que você não soube ou não teve o cuidado de adaptar a forma de transmitir as informações de acordo com o nível da plateia.

39

Reserve o vocabulário técnico para os iguais

Jurisprudência firmada, direito consuetudinário são expressões próprias do Direito e muito boas para serem utilizadas entre os advogados. Produto interno bruto, renda per capita, por outro lado, se prestam para conversas entre administradores de empresas e economistas. Fazer uso dessas palavras diante de pessoas não familiarizadas com o Direito, a Administração de Empresas ou a Economia pode se constituir grave erro de comunicação. Provavelmente você desenvolva uma atividade que possua termos técnicos, próprios dela. Se você se comunicar com os profissionais que atuam na sua atividade usando esse vocabulário específico, não só estará facilitando o entendimento da mensagem como também irá projetar uma imagem profissional positiva. Entretanto, se transmitir uma informação usando esse mesmo vocabulário diante de pessoas leigas no seu campo profissional, talvez comprometa o resultado da sua apresentação. Os termos técnicos, próprios de determinadas profissões, são muito úteis e eficientes quando empregados entre os iguais, isto é, entre aqueles que desenvolvem funções semelhantes. Essas expressões, todavia, quando utilizadas diante de pessoas que não dominam seu significado, podem dificultar o entendimento e criar ruídos na comunicação.

Até dentro da própria empresa onde trabalha, quando for preciso falar com profissionais de outras áreas, tome cuidado com o tipo de vocabulário que irá empregar. Em caso de dúvida se as pessoas irão ou não entender suas palavras, não se arrisque: traduza as expressões técnicas e fale de maneira mais simples, de tal forma que todos possam compreender e acompanhar sua mensagem.

40

O estrangeirismo na medida certa

A melhor atitude com o estrangeirismo é evitar os extremos.

A globalização trouxe na sua esteira a presença cada vez mais acentuada de empresas estrangeiras e, com elas, o costume de usar expressões próprias do seu país de origem, principalmente em inglês.

Alguns nacionalistas fervorosos se alvoroçaram em combater o uso desses estrangeirismos alegando que eles estavam contaminando a pureza da nossa língua. Essa atitude radical, entretanto, não combina muito com o dinamismo próprio da nossa e de todas as outras línguas. Ao longo dos anos, umas e outras palavras vão se incorporando ao nosso idioma e participando naturalmente do processo de comunicação.

Mais uma vez precisamos ficar atentos às características dos ouvintes para que possamos decidir pela propriedade de usar ou não algumas expressões estrangeiras.

Se, diante de um grupo que se comunica com frequência em inglês, por exemplo, você se apresentar usando alguns termos nessa língua, irá se aproximar naturalmente dos ouvintes. Por outro lado, se você se apresentar diante de ouvintes que nunca se comunicam em inglês usando muitas expressões nesse idioma, poderá encontrar resistência e até receber avaliação negativa. Portanto, tudo dependerá sempre das características dos ouvintes com quem precisará se comunicar.

Se fizer uso de estrangeirismos, dê preferência às expressões que não tenham correspondência perfeita em nosso idioma e sempre tome o cuidado de pronunciar as palavras de forma correta. Fica ridículo alguém sair por aí usando expressões em outra língua pronunciando incorretamente as palavras.

41

Use a expressão corporal

Cuide com atenção da sua expressão corporal em qualquer circunstância em que se apresente. Quando você se apresenta em público, seja numa pequena reunião na empresa, seja numa importante conferência, a maneira de se expressar com o corpo será sempre fundamental para que obtenha sucesso.

Para que possa usar bem a expressão corporal, evite falar o tempo todo com as mãos nos bolsos, com os braços cruzados ou presos nas costas. Observe se durante a apresentação, até sem perceber, não tem o hábito de esfregar nervosamente as mãos, coçar a cabeça ou se não apresenta outras atitudes que possam desviar a atenção dos ouvintes.

Faça gestos moderados, que acompanhem

de maneira harmoniosa o ritmo e a cadência da fala. Ao gesticular, de maneira geral, faça os movimentos acima da linha da cintura e mantenha o gesto até completar a informação, antes de voltar à posição de apoio. Alterne a posição de descanso dos braços deixando-os em determinados momentos na altura da linha da cintura; em outros, posicione um deles naturalmente ao longo do corpo. Essa alternância na posição de apoio tornará seu desempenho mais natural e espontâneo.

Procure não se posicionar ora sobre uma perna ora sobre a outra e evite mantê-las muito abertas ou juntas demais.

Tome cuidado para não ficar se movimentando de um lado para outro sem objetivos. Você pode e deve se movimentar diante do grupo, mas desde que tenha uma finalidade, como, por exemplo, dar ênfase ao que está dizendo ou conquistar uma parte da plateia que começa a perder a concentração na mensagem.

42

Olhe para os ouvintes

Quando você olha para as pessoas no auditório, percebe, pelas reações que elas têm, se estão entendendo, concordando com seu ponto de vista ou assimilando a mensagem. Se você notar qualquer tipo de desinteresse do público, alguma discordância ou dificuldade de entendimento nas informações, será possível modificar sua atitude, adaptando a mensagem para reconquistar a plateia.

Outro objetivo da comunicação visual é valorizar a plateia, prestigiando as pessoas que estão presentes.

Ao olhar para os ouvintes, não se apresente com aquele brilho nos olhos característico de quem está lendo um papel na própria mente. Também não olhe rápido demais de um lado para o outro, pois não conseguirá enxergar as pessoas, nem olhe com aquele jeito desconfiado, girando apenas os olhos, sem mover a cabeça.

"Olhe" para o público com o corpo todo, isto é, ao olhar para as pessoas que estão sentadas à esquerda, gire o tronco e a cabeça para esse lado da plateia, deixando que todos percebam que você está com os olhos voltados nessa direção. Ao olhar para as pessoas que estão sentadas à direita, proceda da mesma forma.

O fato de girar o tronco e a cabeça para ver o auditório, além de permitir o retorno, sabendo como as pessoas estão reagindo à apresentação, e de prestigiar a presença dos ouvintes, que percebem com essa atitude o seu contato visual, torna possível a conquista de um terceiro objetivo: quebrar a rigidez da postura, pois a flexibilidade do tronco deixará mais natural o seu posicionamento.

43

Planeje bem suas apresentações

Você só terá certeza do sucesso da sua apresentação se souber como organizar etapa por etapa toda a sequência do raciocínio.

Uma apresentação pode ser planejada em quatro etapas essenciais: introdução, preparação, assunto central e conclusão.

A **introdução** é a primeira parte da apresentação. É o momento em que você deverá se dedicar a conquistar os ouvintes. Nesta etapa seu objetivo deve ser conquistar:

- a simpatia, a torcida, a benevolência dos ouvintes;
- a atenção, o interesse da plateia;
- a docilidade, quebrando as resistências do público.

A **preparação** é o momento que você dedicará a facilitar o entendimento dos ouvintes. Essa é a hora de analisar até que ponto a plateia conhece as informações que você irá transmitir e orientar as pessoas com o objetivo de ajudá-las a compreender com mais facilidade o assunto que será apresentado. É nesta fase que você irá revelar qual o assunto a ser desenvolvido, qual o problema a ser solucionado e quais as partes do assunto que irá expor.

O **assunto central** é a parte mais importante de uma apresentação, pois é o objetivo maior da exposição. Nesta etapa você irá aplicar as informações que foram indicadas na preparação, desenvolvendo o assunto que foi proposto, solucionando o problema levantado e cumprindo as partes que foram prometidas. Ainda no assunto central, você apresentará os argumentos e refutará as possíveis objeções do público.

A **conclusão**, por sua vez, é a parte da apresentação em que você fará uma recapitulação da essência da mensagem e levará os ouvintes a refletir ou agir de acordo com a proposta do tema apresentado.

44

Não inicie contando piadas

Você chega diante da plateia, faz aquela cara de quem vai surpreender a todos com algo muito engraçado e emenda: "Tem aquela do papagaio...". Humm, saiba que essa história de iniciar contando piadinhas poderá colocá-lo a um passo de prejudicar sua apresentação. Quando tiver de falar em público, aceite este conselho: evite iniciar contando piadas para os ouvintes. Estou usando a palavra "evite" porque, às vezes, excepcionalmente, esse recurso dá resultado, mas é muito arriscado.

O início é o momento mais difícil da apresentação. É nesse instante que você estará procurando o local mais apropriado para ficar diante das pessoas, testando o volume de voz mais adequado para o ambiente, optando pelo recurso correto para conquistar os ouvintes. É também no início que sofrerá a maior descarga de adrenalina e que, por isso, naturalmente, se sentirá desconfortável e inseguro. Por esses motivos, a piada é desaconselhável. Imagine você chegando à frente da plateia com essa insegurança, com esse nervosismo, contando uma piada e se saindo mal, porque depois de contá-la descobre, pela reação do público, que ela não tinha graça. Talvez ficasse tão desestabilizado que nem conseguisse se recuperar e se concentrar ao longo da exposição. Mas você pode argumentar que esse não é o caso, pois a piada que deseja contar é de fato muito boa. Talvez essa situação seja ainda pior, porque, quando a piada é muito boa, em pouco tempo se torna conhecida. E por melhor que seja uma piada, já sendo conhecida não vai arrancar risos dos ouvintes.

Se desejar contar uma piada, deixe para usar esse recurso lá pelo meio da fala, quando você e os ouvintes estiverem mais à vontade.

45

Não inicie pedindo desculpas

Nem sempre pedir desculpas às pessoas é sinal de educação. Em determinadas circunstâncias pode ser demonstração de falta de tato. Por exemplo, se você iniciar uma apresentação pedindo desculpas às pessoas porque está com um problema físico, como dor de cabeça, resfriado, gripe, chamará a atenção, desnecessariamente, para um problema que talvez nem fosse notado pelos ouvintes. Mas, ao se desculpar porque está rouco e pedir que não reparem se sua voz falhar, fará com que os ouvintes fiquem o tempo todo prestando atenção em sua voz e imaginando: "Agora a voz dele não vai sair, acho que irá desafinar".

Da mesma forma, não inicie pedindo desculpas por não conhecer o assunto. Primeiro, porque se não conhecesse o assunto não deveria estar ali falando. Depois, talvez consiga desenvolver um tema que domina e que, de alguma maneira, esteja associado àquele que precisaria tratar e até agradar os ouvintes. Mas, se já informou que a matéria não é do seu domínio, dificilmente conseguirá fazer com que as pessoas se interessem pelas informações que irá transmitir. Como brincadeira, poderia dizer também que é desnecessário contar, pois as pessoas perceberiam logo que você não é do ramo.

Atenção: não estou dizendo que não deva pedir desculpas nunca. Estou me referindo ao pedido de desculpas por problemas físicos e pela falta de conhecimento sobre o assunto no início da apresentação. Por exemplo, se você chegar atrasado a uma reunião ou palestra que irá proferir, as pessoas esperam que se desculpe por essa falta.

46

Conquiste a atenção dos ouvintes

Se os ouvintes não prestarem atenção em suas palavras, sua apresentação será um fracasso. Por isso, empenhe-se em despertar o interesse do público logo no início.

• Use uma frase que provoque impacto

Quando você perceber que os ouvintes estão com a cabeça na lua, alheios, apáticos, pouco envolvidos com o ambiente ou com o tema da exposição, cutuque-os com uma frase que provoque impacto.

• Lance mão de um fato bem-humorado

Ligue as antenas e fique bem atento para aproveitar uma informação que nasça do contexto da mensagem ou no próprio ambiente onde fará a apresentação, exagere na maneira de transmiti-la e transforme-a num fato bem-humorado.

• Conte uma história interessante

De maneira geral, as pessoas gostam de ouvir uma boa história. A tática é simples e muito eficiente: comece contando uma boa história. As pessoas ficarão interessadas na narrativa. Em seguida, você faz a ligação com o assunto que deseja apresentar e já terá os ouvintes atentos, acompanhando sua exposição.

• Levante uma reflexão

Instigue os ouvintes com uma reflexão. De preferência, essa reflexão deverá ter algum tipo de ligação direta ou indireta com o conteúdo da apresentação.

• Mostre os benefícios da plateia

Não tenha ilusões: os ouvintes são INTERESSEIROS e só se motivarão a acompanhar de forma atenta a apresentação quando sentirem que obterão alguma vantagem. Se as pessoas pressentirem que terão algum tipo de lucro, segurança, prestígio social, crescimento profissional ou que poderão ratificar seus princípios filosóficos, ficarão atentas e interessadas na mensagem. Por isso, mostre logo no início os benefícios que os ouvintes terão.

47

Saia da mesmice

Se os ouvintes vibrarem com sua palestra e agirem de acordo com as propostas da mensagem que você transmitiu, sabe de quem é o mérito? Seu! Pode comemorar.

Por outro lado, se demonstrarem apatia e desinteresse diante da sua apresentação, sabe de quem é a culpa? Sua! Pode ajoelhar no milho.

Pois é, cada vez mais precisamos nos conscientizar de que não existe plateia desinteressada, mas, sim, palestrante desinteressante. E não adianta querer culpar os ouvintes, pois você, com o domínio da palavra, é que poderia fazer com ela o que bem entendesse. Se não fez, ou adotou uma conduta inadequada, só há um culpado nessa história.

Por isso, saia da mesmice e torne sua apresentação mais interessante. Surpreenda a plateia com uma informação inusitada, mostre um caminho muito distinto daquele que supunham que você iria seguir. E tome essa atitude logo nos momentos iniciais, que é o instante mais apropriado para conquistar o interesse das pessoas.

Se você pretendia iniciar dizendo que "a reunião iria tratar das metas de vendas para o próximo semestre", mude a rota e surpreenda os ouvintes dizendo, por exemplo, "desta vez achamos o caminho para arrasar os nossos concorrentes" ou "a partir dos números que vamos analisar já não vejo ninguém na nossa frente", ou ainda "os concorrentes já podem preparar os binóculos, pois é assim que vão nos enxergar daqui para frente". Bem, você saberá como encontrar uma maneira diferente de cutucar seus interlocutores e deixá-los interessados na mensagem.

Ponha a cabeça para funcionar, saia da mesmice, seja diferente e conquiste a atenção e o interesse das pessoas.

48 Esclareça qual é o assunto

Já deve ter ocorrido com você: alguém entra na sua sala e começa a falar falar, falar e, depois de um bom tempo, por mais que você se esforce, não consegue entender o que ele está pretendendo com aquela conversa toda. Se ele tivesse contado, logo no princípio, em uma ou duas frases, qual era o assunto e o objetivo da presença dele ali, teria sido muito mais simples para você acompanhar o raciocínio desde o início até o final.

Talvez essa seja uma das falhas mais comuns na comunicação: não informar ao ouvinte, ou ao leitor (porque a regra serve tanto para falar como para escrever), qual o assunto que será exposto.

Embora a frase que irá orientar o ouvinte sobre o tema que será abordado seja bastante simples e consuma pouquíssimo tempo, precisará ser elaborada de forma correta para que você possa facilitar o entendimento da mensagem que irá apresentar.

Mesmo que a frase seja bastante simples e consuma pouquíssimo tempo, como eu disse, nem por isso significa que seja fácil e deva ser negligenciada. Pense bem e escolha uma frase que consiga identificar perfeitamente o conteúdo da mensagem, oriente bem o ouvinte sobre o que você pretende transmitir e demonstre o tom que deseja empregar na fala. Pela maneira de falar, já deverá indicar ao ouvinte se será uma fala bem-humorada, séria, indignada, animada, enfim, deixá-lo preparado para o tipo de apresentação que irá receber.

Em alguns casos a frase não precisa determinar de maneira muito evidente qual é o assunto, visto que nas entrelinhas será possível deduzir o que será tratado.

49

Para cada solução, um problema

Provavelmente você está acostumado a ouvir que para cada problema há uma solução. Neste caso a história será diferente: para cada solução deverá haver um problema. Se você observar bem, vai constatar que, de maneira geral, suas apresentações têm por objetivo solucionar problemas. Entretanto, você não deve supor que, pelo fato de saber que se trata de um problema e de ele ser muito conhecido seu, os ouvintes também já estejam devidamente inteirados dessa informação. No momento em que estiver analisando como deveria agir para ajudá-los a compreender melhor a mensagem, se concluir que o objetivo da sua apresentação é sugerir a solução para um problema, revele-o antes para que as pessoas possam acompanhar com mais facilidade sua exposição. Reflita bem: como é que os ouvintes poderão entender a solução de um problema se eles não sabem que ele existe?

Assim, depois de cumprimentar a plateia e contar a ela qual o assunto que pretende expor, revele qual é o problema que precisa ser solucionado. À primeira vista, pode parecer que, ao contar qual é o assunto, já estará também revelando o conteúdo do problema; entretanto, nem sempre esse fato se concretiza. Se, por exemplo, você desejasse falar sobre os problemas do aeroporto de sua cidade e quisesse sugerir soluções para eles, poderia explicar mais ou menos assim: "Como é do conhecimento da maioria, o nosso aeroporto está com excesso de movimentação. Apenas nos últimos dois anos as decolagens aumentaram mais de 60%, ampliando consideravelmente o perigo de acidentes, e numa área com elevada densidade demográfica...".

50

Conte como tudo aconteceu

Esta informação é novinha em folha? É? Então tome muito cuidado, porque, se você transmiti-la diretamente ao ouvinte sem uma boa orientação, provavelmente ele terá dificuldade para entender. Lembre-se de que nem sempre o ouvinte está devidamente preparado para receber uma determinada mensagem.

No caso de informações novas, modernas, atuais, recentes, se perceber que as pessoas teriam dificuldade para assimilar o conteúdo da exposição, ajude-as a compreender a mensagem. Para facilitar a compreensão das pessoas quando as informações se constituírem novidade, poderá fazer um retrospecto, falar do passado, contar como foi que tudo aconteceu, até chegar ao momento presente. Quando o ouvinte sabe como o assunto evoluiu ao longo do tempo, acompanhando as etapas das transformações ocorridas, naturalmente ele entenderá o significado da nova mensagem que você irá comunicar.

Por exemplo, se você tiver de falar sobre um equipamento que produz caixas automaticamente, seria oportuno, para que os ouvintes entendessem com mais facilidade a mensagem e os benefícios dessa automatização, fazer um histórico contando como funcionavam as primeiras máquinas, quando as caixas eram fabricadas quase artesanalmente, que tipo de problemas apresentavam, quais os aprimoramentos que receberam nos anos que se seguiram, até chegar aos dias de hoje. Essa história fará com que as pessoas fiquem interessadas em saber como as dificuldades foram superadas e quais as inovações que se sucederam até que todos esses aperfeiçoamentos pudessem ser incorporados no moderno equipamento que agora está sendo mostrado.

51

Não se apaixone por um argumento

Ao defender uma ideia, utilize com habilidade os argumentos que tiver à disposição, mas tome muito cuidado para não se apaixonar de forma demasiada por um deles. Se você exagerar no uso de um argumento para defender uma ideia, correrá o risco de repeti-lo tantas vezes que acabará por enfraquecê-lo.

Um bom argumento não precisará de muitas repetições para que possa ser notado, pois, ao ser citado, todos perceberão sua importância. No momento apropriado, se sentir necessidade de repeti-lo, procure usar palavras diferentes, como se estivesse analisando a ideia por um ângulo distinto.

Outro cuidado importante na exposição de

um argumento forte e poderoso é prepará-lo adequadamente antes de ser apresentado.

A inteligência e a razão deverão prevalecer para que a ansiedade não ponha tudo a perder. Quando temos consciência da força e do poder do nosso argumento, a tendência é querer apresentá-lo o mais rápido possível, para que nossa ideia seja vencedora. Entretanto, essa precipitação poderá fazer com que nossa causa seja prejudicada por ser defendida com a arma mais preciosa no momento indevido. E quando cometemos esse deslize, somos impelidos a repeti-lo muitas vezes, como se quiséssemos mostrar aos ouvintes como estávamos apoiados por uma razão que eles não estavam conseguindo enxergar.

Fique atento e seja cuidadoso o tempo todo ao usar seu argumento mais forte. Apresente-o no instante mais adequado, para que os ouvintes possam apreciá-lo na sua plenitude, e evite repeti-lo muitas vezes, para que não seja enfraquecido.

52

Aproveite melhor seus argumentos

Nem sempre você poderá contar só com argumentação de excelente qualidade para defender uma ideia; às vezes, será preciso lançar mão também de argumentos com pesos diferentes. Nessas situações tenha o cuidado de dispô-los numa ordem apropriada para aumentar suas chances de obter êxito.

Comece fazendo uma relação de todos os argumentos para saber com que tipo de munição você vai poder contar.

Depois de relacionar todos os argumentos de que puder se lembrar, dê notas para estabelecer o peso de cada um (1 a 10, por exemplo). Ao determiná-las, não leve em consideração apenas a sua avaliação e gosto pessoal. Procure imaginar principalmente qual será a apreciação dos ouvintes.

Depois de estabelecer as notas para os argumentos, divida-os em quatro grupos: frágeis, razoáveis, bons e excelentes. É evidente que em determinadas circunstâncias você não conseguirá separá-los nessas quatro categorias, pois só poderá dividi-los em duas ou três.

Agora que você está de posse da sua argumentação, separada em grupos com seus respectivos pesos, considere-se pronto para montar sua linha de ataque.

Comece com um bom argumento, não o melhor, mas um bom, para chamar a atenção, criar expectativa e motivar os ouvintes a acompanhar sua mensagem. Em seguida, apresente o mais frágil (não aquele inconsistente que você descartou por apresentar riscos à sua estratégia), na sequência, o imediatamente mais forte e assim gradativamente, até chegar àquele que considerar o melhor, o mais importante, praticamente irrefutável pelas objeções contrárias.

53

Ajude o ouvinte a entender a mensagem

De nada adiantará desenvolver seus argumentos de maneira brilhante e com toda correção técnica se as pessoas não entenderem bem suas intenções. Por isso, após transmitir uma informação para os ouvintes, certifique-se de que eles conseguiram compreender bem a mensagem. Se for necessário ajudá-los a assimilar melhor as informações, você poderá fazer uso das ilustrações. Ilustrar significa esclarecer, elucidar, iluminar, tornar claro o que foi informado. É uma história que pode ser real ou criada, inventada para possibilitar às pessoas que compreendam com mais facilidade a mensagem. Servem como ilustração fábulas, parábolas ou ainda histórias verdadeiras, como os exemplos. Em apresentações técnicas, em que se exige maior objetividade das informações, é recomendável o uso de exemplos como ilustrações, pois, além de auxiliarem o ouvinte a compreender melhor a mensagem, por nascerem da própria matéria funcionam também como argumento e, por isso, são mais apropriados para apresentações que devam ser concisas, objetivas.

A ilustração pode ser utilizada para facilitar o entendimento de todos os ouvintes, entretanto ajuda ainda mais as pessoas de baixo nível cultural que, quase sempre, encontram maior dificuldade para acompanhar raciocínios mais complexos. No momento de escolher uma história para usar como ilustração, tome cuidado com aquelas utilizadas com frequência por palestrantes e conferencistas, pois, por serem muito conhecidas, em vez de tornar clara sua mensagem, poderão tirar o interesse da plateia. Prefira histórias inéditas, que surjam espontaneamente nas suas leituras e conversas.

54

Use a estratégia certa

Cuidado! Você poderá ser derrotado num confronto de ideias mesmo que sua causa seja a melhor. Uma ideia não tão boa, desde que exposta de forma correta e habilidosa, poderá superar outra de melhor qualidade. Por isso, antes de se lançar ao ataque para combater uma argumentação contrária, saiba bem como agir e aumente suas chances de sucesso. Quando você precisar contestar uma ideia oposta, a situação mais comum é que a outra parte apresente argumentos de qualidade diferente uns dos outros. Alguns poderão ser excelentes, outros bons, há aqueles apenas razoáveis e talvez um ou outro até bastante frágil. Independentemente da ordem em que tenham sido apresentados, ao contestá-los você deverá organizá-los numa sequência que torne sua atuação mais eficiente.

Pense bem: o poder do oponente não está nos argumentos frágeis. Assim, se você os destruir logo no início, sua vantagem será mínima, já que a linha de argumentação mais consistente da parte contrária continuará preservada. A melhor estratégia, portanto, é reprimir esse ímpeto quase instintivo de destruir os argumentos mais frágeis no princípio, deixando-os para o final. Dessa forma, inicie combatendo rapidamente os argumentos mais fortes no início, mesmo sabendo que talvez eles não possam ser destruídos, e vá atacando os de qualidade menor até chegar ao mais frágil. Não é difícil deduzir que nesse momento, ao atacar o argumento mais frágil, você contará com sua maior chance de tornar-se vitorioso. Ainda que não tenha conseguido vantagem no combate aos argumentos anteriores, ao destruir o último, o de pior qualidade, dará a impressão de que, assim como este foi destruído, todos os outros também o foram.

55

Capriche no encerramento

Palestrantes experientes, com boa quilometragem de tribuna, me procuram para aperfeiçoar uma pequena e aparentemente insignificante habilidade da comunicação, mas de fundamental importância para o sucesso de quem se apresenta em público: como encerrar uma apresentação.

Se encerrar uma apresentação é difícil para os palestrantes mais tarimbados, dá para imaginar o que ocorre com aqueles que estão dando os primeiros passos na arte de falar em público. A grande maioria tem o hábito de jogar a toalha como se não tivesse mais fôlego para chegar até o final. Costumam encerrar a frase com o tom de voz de quem pretendia passar mais algumas informações e, depois de uma pausa prolongada, uma verdadeira eternidade para eles, soltam a pérola: "Era isso o que eu tinha para dizer, muito obrigado".

Considere perfeita a conclusão da sua fala quando você encerrar no momento apropriado, isto é, no instante em que já tiver passado todas as informações que desejava e convencido ou persuadido os ouvintes da sua proposta, quando tiver usado o tom de voz adequado, demonstrando que estava mesmo concluindo a exposição, e puder permitir, naturalmente, que os ouvintes reflitam ou ajam de acordo com a mensagem transmitida.

Não se esqueça deste detalhe: a qualidade da mensagem transmitida na conclusão é muito importante para o resultado do encerramento, mas o tom de voz que avisa que a exposição está chegando ao final, pode, em determinadas situações, ser ainda mais relevante, pois, pela maneira de concluir, os ouvintes receberão, além da informação, o sentimento da mensagem usado na finalização.

56

As melhores formas para encerrar

Algumas formas para encerrar uma apresentação que dão resultado:

- **Levantar uma reflexão**

De maneira geral, os ouvintes tenderão a refletir com base nos argumentos que você transmitiu ao longo da apresentação e com boas chances de que aceitem suas sugestões.

- **Fazer uma citação**

Além de admirarem seu conhecimento, a citação de uma frase de alguém respeitado pelos ouvintes dará ainda mais peso à sua autoridade sobre o assunto tratado.

- **Apelar para a ação**

Especialmente nas circunstâncias em que haja necessidade de atitudes rápidas e imediatas dos ouvintes, esse é um dos recursos mais eficientes para o encerramento.

- **Aludir à ocasião**

É um tipo de conclusão apropriado nas situações em que o ambiente da apresentação e o contexto da mensagem estejam intimamente relacionados com a presença dos ouvintes.

- **Elogiar honestamente os ouvintes**

O elogio sincero ajuda a desarmar as últimas resistências da plateia e a fazer com que as pessoas torçam pelo resultado positivo da apresentação.

- **Contar um fato histórico**

Um fato histórico que guarde interdependência com o conteúdo da fala, além de auxiliar os ouvintes a associar com facilidade a narrativa com a mensagem, fará com que se lembrem das informações por muito mais tempo.

- **Aproveitar um fato bem-humorado**

É uma maneira leve e descontraída de fazer o encerramento, e quanto mais ligada ao conteúdo da fala estiver, mais eficiente será para o trabalho de convencimento ou de persuasão dos ouvintes.

- **Utilizar uma circunstância**

A circunstância de pessoa, de lugar ou de tempo é um recurso excepcional para demonstrar maior identidade do palestrante com os ouvintes e desarmá-los de possíveis resistências remanescentes.

57

Fale de improviso

Falar de improviso não é inventar informação. Se você pensa que falar de improviso é chegar diante de um grupo e apenas aproveitar a circunstância como fonte de inspiração para descobrir o que vai dizer, estará agindo com irresponsabilidade. Essa é uma atitude ingênua que pode pôr em risco sua imagem e sua reputação diante do público. Falar de improviso, portanto, ao contrário do que algumas pessoas imaginam, significa falar sem se preparar de maneira conveniente para expor um assunto. Pressupõe que você precisa falar ao mesmo tempo que planeja o desenvolvimento da exposição. O segredo do improviso é muito simples: antes de falar a respeito do tema que é o objetivo da apresentação, comece a discorrer sobre um outro assunto que domine. Por exemplo, você pode usar informações ligadas à sua atividade profissional, ao seu *hobby*, à passagem de um livro que tenha sido marcante, à cena de um filme que o emocionou, a um desafio que superou, a uma viagem, a episódios de sua vida ou da vida de pessoas que conheça. Assim, enquanto você fala sobre o assunto que conhece muito bem, terá condições de planejar a sequência da apresentação. Com certeza, em algum momento da exposição, será possível fazer a ligação dessas informações que domina com a mensagem principal. Como o ouvinte recebe a mensagem como se fosse uma só o tempo todo, será induzido a pensar que você tem o domínio completo do assunto, quando, na verdade, o seu conhecimento é apenas da preparação – sobre o tema principal talvez tenha apenas algumas informações.

58

Para ler em público

As pessoas não sabem ler em público por dois motivos essenciais: primeiro porque tiveram poucas oportunidades de praticar essa atividade; depois, porque, além de normalmente não existir a experiência da leitura em público, quando as pessoas leem apresentam-se sem nenhum critério técnico.

Portanto, para aprender a ler bem em público é preciso seguir algumas regrinhas muito simples e praticar bastante.

Olhe para os ouvintes – durante as pausas prolongadas e nos finais de frases, olhe para os ouvintes e demonstre com essa atitude que as informações estão sendo transmitidas para eles. Distribua a comunicação visual olhando ora para um lado, ora para o outro da plateia.

Para não se perder na leitura enquanto olha para os ouvintes, marque a linha de leitura com o dedo polegar, pois, ao voltar para o texto, saberá exatamente onde parou.

Segure o papel na altura correta – deixe a folha na parte superior do peito, para ler com mais facilidade e não se esconder do público.

Faça poucos gestos – a gesticulação na leitura deverá ser moderada. A leitura de uma página, de maneira geral, pode ser feita com menos de meia dúzia de gestos.

É preferível fazer poucos gestos, que destaquem as informações mais relevantes com convicção e firmeza, a demonstrar hesitação soltando repetidamente a mão do papel e retornando depressa, como se estivesse arrependido. Se você for muito inexperiente e encontrar dificuldade para gesticular, será melhor que não gesticule.

Marque o texto – use traços verticais antes das palavras para indicar o momento de fazer pausas mais expressivas. Essas marcações não coincidirão necessariamente com a pontuação gramatical.

59

Use recursos de apoio

O roteiro escrito como recurso de apoio é bastante simples e fácil de ser usado: escreva numa folha de papel algumas frases que ajudem a ligar a sequência da sua apresentação. Cada frase deverá conter uma ideia completa, isto é, a essência do pensamento que deseja comunicar. Quando estiver diante da plateia, você deverá ler a frase e em seguida fazer comentários a respeito dela, criticando, elogiando, ampliando, associando com outras informações, até que essa parte da mensagem esteja concluída. Logo após, você deverá ler a próxima frase e fazer outras observações. E assim, lendo as frases e fazendo comentários que as complementem, poderá realizar uma boa apresentação. A vantagem do roteiro escrito é que com esse recurso você terá a segurança da sequência de todas as etapas importantes da apresentação e a liberdade para desenvolver o raciocínio diante dos ouvintes.

Em apresentações menos complexas, você poderá usar um cartão de notas. Esse recurso é diferente do roteiro escrito. Consiste em um cartão pequeno, uma folha de cartolina do tamanho da palma da mão, por exemplo. Nele você anotará as palavras mais importantes na sequência da sua apresentação, além de algumas cifras e datas que precisam ser mencionadas. Observe que os dois recursos são muito diferentes: o roteiro escrito contém frases com ideias completas que deverão ser lidas, ao passo que o cartão de notas possui apenas as palavras que ajudarão a constatar se a sequência planejada para a apresentação está sendo seguida.

60

Enfrente melhor o medo de falar

1) Saiba exatamente o que vai dizer no início, quase palavra por palavra.

2) Leve sempre um roteiro escrito com os principais passos da apresentação. Você se sentirá mais seguro com ele.

3) Se tiver de ler, imprima o texto em um cartão grosso. Assim, se as suas mãos tremerem um pouco, o público não perceberá e você ficará mais tranqüilo.

4) Ao chegar diante do público, não tenha pressa para começar. Respire o mais tranquilamente que puder, acerte devagar a altura do microfone, olhe para todos os lados da plateia e comece a falar mais lentamente e com volume de voz mais baixo. Assim, não demonstrará a instabilidade emocional para o público.

5) No início, quando o desconforto de ficar na frente do público é maior, se houver uma mesa diretora, cumprimente cada um dos componentes com calma. Desta forma, ganhará tempo para superar os momentos iniciais tão difíceis.

6) Antes de falar, quando já estiver no ambiente, não fique pensando no que vai dizer: preste atenção no que as outras pessoas estão fazendo e tente se distrair um pouco.

7) Se estiver muito nervoso, deixe as mãos apoiadas sobre a mesa ou a tribuna até ficar mais calmo.

8) Antes da apresentação, treine com os colegas de trabalho ou pessoas próximas. Lembre-se de exercitar respostas para possíveis perguntas ou objeções. Assim, não se surpreenderá diante do público.

9) Se der o branco, não se desespere. Diga: *na verdade o que eu quero dizer é...* Esta frase permitirá que reconte a informação por outro ângulo. Se este recurso falhar, diga aos ouvintes que mais à frente voltará ao assunto.

10) Todas essas recomendações ajudam no momento de falar, mas nada substitui uma consistente preparação. Use sempre todo o tempo de que dispõe.

Livros publicados pelo autor que serviram de suporte teórico na elaboração desta obra

A influência da emoção do orador no processo de conquista dos ouvintes. 3. ed. São Paulo: Saraiva, 2001. 160 p.

Assim é que se fala. 27. ed. rev., atual. e ampl. São Paulo: Saraiva, 2005. 240 p.

Como falar corretamente e sem inibições. 106. ed. São Paulo: Saraiva, 2003. 240 p.

Como falar de improviso e outras técnicas de apresentação. 10. ed. São Paulo: Saraiva, 2002. 120 p.

Seja um ótimo orador. 8. ed. rev., atual. e ampl. São Paulo: Saraiva, 2005. 224 p.

Fale muito melhor. 5. ed. São Paulo: Saraiva, 2003. 208 p.

Gestos e postura para falar melhor. 23. ed. São Paulo: Saraiva, 2002. 200 p.

Recursos audiovisuais nas apresentações de sucesso. 5. ed. São Paulo: Saraiva, 2003. 140 p.

Técnicas e segredos para falar bem. São Paulo: IOB, 1993. 5 módulos.

Um jeito bom de falar bem. 10. ed. São Paulo: Saraiva, 2001. 215 p.

Vença o medo de falar em público. 8. ed. rev., atual. e ampl. São Paulo: Saraiva, 2005. 136 p.

Cómo hablar bien en público. Tradução de María de los Hitos Hurtado. Madrid: EDAF, 2004. 248 p.

Reinaldo Polito

Sanzio Mello

Mestre em Ciências da Comunicação.

Pós-graduado com especialização em Comunicação Social pela Fundação Cásper Líbero e em Administração Financeira pela FGV e pela Faculdade de Ciências Econômicas de São Paulo.

Formado em Ciências Econômicas e Administração de Empresas pela Faculdade de Ciências Econômicas de São Paulo.

Foi professor de Expressão Verbal para professores e alunos dos cursos de graduação e pós-graduação da Escola de Comunicações e Artes da Universidade de São Paulo.

Foi professor de Expressão Verbal para professores de pós-graduação do Programa de Treinamento em Didática da Escola de Direito de São Paulo da FGV.

Professor de Expressão Oral no *Management in Business Communication* (MBC) da Faculdade de Comunicação Social Cásper Líbero.

Professor de Competência Verbo-gestual no Trabalho da Imagem Pública no Curso de Pós-Graduação em Marketing Político da ECA-USP.

Professor de Comunicação Oral no curso de pós-graduação em Gestão Corporativa da ECA-USP.

Professor de Comunicação Verbal e Gestual no curso Master em Tecnologia Educacional para os professores da FAAP.

Professor de Discurso Político no curso de pós-graduação da UNP-Universidade Potiguar, RN.

Compõe o corpo docente do MBA da Faap, em São Paulo, formando altos executivos para o setor de Bioenergia, assumindo a disciplina de Técnicas de Comunicação.

Tem participado como conferencista de congressos nacionais e internacionais na área de Fonoaudiologia e de entidades de profissionais liberais.

Escreve artigos sobre comunicação (ou atuou como colunista) nas revistas *Vencer*, *Seu Sucesso*, *Brazilian Press*, *Segmento Empresarial*, *Empresários*, *Você S/A* e no jornal *Tribuna Impressa* de Araraquara.

É colunista permanente na área de comunicação e carreiras do UOL.

É colunista semanal exclusivo na na área de carreiras, comunicação, cultura e comportamento da Agência Estado.

É coordenador das séries *Superdicas*, da Editora Saraiva, e *I superconsigli*, da Editora Italianova, da Itália.

Especializou-se no treinamento de empresários, executivos, políticos e profissionais liberais de alto nível e, desde 1975, forma anualmente mais de mil e duzentos alunos.

Atuou como executivo em organizações financeiras internacionais.

Membro titular da Academia Paulista de Educação.

Presidente do Conselho de Administração da ONG Via de Acesso.

Ministra treinamentos para executivos de grandes organizações — Alcan, Alcoa, Basf, Caterpillar, Citibank, Dow Química, Du Pont, Ericsson, Esso, Ford, Gessy Unilever, Goodyear, Hewlett Packard, Hoechst, Honda, IBM, Johnson & Johnson, Mercedes-Benz, Monsanto, Nestlé, Philips, Pirelli, PriceWater-houseCoopers, Rhodia, Saab Scania, Sanbra, Sharp, Siemens, Volkswagen — e de centenas de outras empresas igualmente importantes.

Comlivros publicados em diversos países, é autor das obras: *Como falar corretamente e sem inibições**, *Assim é que se fala — como organizar a fala e transmitir ideias*, *Um jeito bom de falar bem — como vencer na comunicação*, *Cómo hablar bien en público*, *A influência da emoção do orador no processo de conquista dos ouvintes*, *Gestos e postura para falar melhor*, *Técnicas e segredos para falar bem*

* O livro *Como falar corretamente e sem inibições* é a obra, no gênero, mais publicada na história do Brasil, ultrapassando 110 edições e 500.000 exemplares, e frequenta constantemente o topo das listas dos mais vendidos. Seu conteúdo é desenvolvido e ministrado no Curso de Expressão Verbal pelo próprio autor.

(5 volumes), *Vença o medo de falar em público*, *Recursos audiovisuais nas apresentações de sucesso*, *Como se tornar um bom orador e se relacionar bem com a imprensa*, *Como preparar boas palestras e apresentações*, *Como falar de improviso e outras técnicas de apresentação*, *Fale muito melhor*, *Oratória para advogados e estudantes de Direito* e *Superdicas para falar bem*.

O Professor Reinaldo Polito
ministra o Curso de Expressão Verbal na
R. Mariano Procópio, 226 — V. Monumento
São Paulo — SP — Brasil
CEP 01548-020

Tel.: (55) 11 6168-7595
www.polito.com.br
contatos@reinaldopolito.com.br

Reinaldo Polito

SUPERDICAS PARA FALAR BEM

EM CONVERSAS E APRESENTAÇÕES

1ª edição
11ª reimpressão
2009
Conforme a nova ortografia

Editora Saraiva

ISBN 978-85-02-05403-5

Copyright © Reinaldo Polito, 2005
Direitos desta edição:
SARAIVA S.A. — Livreiros Editores, São Paulo, 2005
Todos os direitos reservados

Editor: Rogério Carlos Gastaldo de Oliveira
Assistente editorial e
preparação de texto: Kandy Sgarbi Saraiva
Secretária editorial: Andréia Pereira
Coordenação de revisão: Livia Maria Giorgio
Gerência de arte: Nair de Medeiros Barbosa
Supervisão de arte e Projeto gráfico: Antonio Roberto Bressan
Capa: Sergio Gordilho
Ilustrações: Adolar

Dados Internacionais de Catalogação na Publicação (CIP)
(Câmara Brasileira do Livro, SP, Brasil)

Polito, Reinaldo
Superdicas para falar bem : em conversas e apresentações / Reinaldo Polito. — São Paulo : Saraiva, 2005.

Bibliografia.
ISBN 978-85-02-05403-5

1. Apresentações comerciais 2. Comunicação oral 3.Conversação 4. Falar em público 5. Oratória I. Título.

05-4919 CDD-808.51

Índices para catálogo sistemático:

1. Apresentações : Comunicação oral : Retórica 808.51
2. Conversas : Comunicação oral : Retórica 808.51
3. Falar em público : Retórica 808.51

Editora Saraiva

R. Henrique Schaumann, 270 – CEP 05413-909 – Pinheiros – São Paulo-SP
Tel.: PABX (0**11) 3613-3000 – Fax: (0**11) 3611-3308
Televendas: (0**11) 3613-3344 – Fax Vendas: (0**11) 3611-3268
Atendimento ao Professor: 0800-0117875
Endereço Internet: www.editorasaraiva.com.br